LA SERPIENTE DE ORO

CIRO ALEGRÍA

LA SERPIENTE
DE ORO

TERCERA EDICIÓN

EDITORIAL LOSADA, S. A.
BUENOS AIRES

Edición expresamente autorizada para la
BIBLIOTECA CLÁSICA Y CONTEMPORÁNEA

Queda hecho el depósito que marca la ley 11.723

*Marca y características gráficas registradas
en la oficina de Patentes y Marcas de la Nación*

© Editorial Losada, S. A.
Alsina 1131,
Buenos Aires, 1968

Tercera edición: 27-III-1974

Ilustró la cubierta
SILVIO BALDESSARI

Impreso en la Argentina
Printed in Argentina

Este libro se terminó de imprimir
el día 27 de marzo de 1974
en Artes Gráficas Bartolomé U. Chiesino S. A.
Ameghino 838 - Avellaneda
Buenos Aires.

La edición consta
de diez mil ejemplares

En un país, como el Perú, de tan escasa memoria para lo bueno y lo malo, es significativo que nos congreguemos a celebrar "las bodas de plata" de un libro que es, sin lugar a dudas, pero también sin hipérbole de ningún género, hito fundamental en la novelística hispanoamericana.

No ignora el lector que por la época en que se escribió este libro, los autores de América Hispana acababan de afirmar su derecho a la autonomía literaria; que al afianzar la conciencia nacional y pretender sustentar ésta en expresiones populares, reconocían su realidad; y que, en ese ensayo de inscribir la presencia hispanoamericana en el proceso histórico-cultural del mundo contemporáneo, un deseo desbordante de autenticidad y la búsqueda desgarradora de un mensaje los impulsó a describir el medio rural y, especialmente, la región andina. El "indigenismo" fue, por eso, más allá de los límites escuetos del movimiento artístico, algo así como la revuelta y la revelación de una tarea. Pero además, con ese sincronismo asombroso que empareja los hechos literarios y sociales en nuestro continente, el "indigenismo" fue, en todas partes, un documento agrio, sombrío, rabioso, que invocaba la esperanza por el camino del desengaño y de la indignación; fue en cierta medida nuestra caja de resonancia frente al expresionismo europeo y norteamericano, aunque menos cultivado que intuitivo. Pocos períodos quedarán para la historia de nuestras letras, dominados, como ése, por una impresión tan deprimente; mosaico de figuras postradas y envilecidas, sin que entreviera el hombre una perspectiva de ascenso y dominio de la circunstancia.

En ese horizonte, Calemar (a orillas del Marañón, en una remota región del Perú) se convierte en escenario del mundo, y don Matías y su gente se alzan hasta adquirir el perfil de una humanidad arrogante, vigorosa, que no mueve ya a la compasión ni a la protesta, pero que, y ahí su mérito insólito en la época, incitan al asombro, a la admiración por el balsero que trabaja y crea, y devuelven al ser humano el señorío de la realidad y el derecho a establecer las normas vitales.

Los personajes de La serpiente de oro *están recortados so-bre el molde de ese río imponente y furioso que es el Mara-ñón;* mas si la naturaleza define al hombre, en la identidad trascendente que emerge de dicho contacto el paisaje se subor-dina al personaje, y el hombre, la acción del hombre, con su poesía y su tragedia, con su sentido rural y su lenguaje ar-caico, se subliman en arte verdadero y en emoción conmove-dora e inolvidable.

· Con La serpiente de oro el "indigenismo" empieza a ser "nativismo", lo local se torna universal, y la adhesión transi-toria se convierte en destino: el destino de un pueblo. Y aun-que la intención haya sido la misma que privó en otras obras: denunciar que frente al absurdo centralismo hierve la vitalidad provinciana, que ante el oficialismo absorbente se yergue la dignidad de la persona y la tradición comunal, nunca antes se había escrito —entre nosotros— un canto más hermoso a la conciencia del hombre ni a la humanidad de su destino.

ALBERTO ESCOBAR

I

EL RÍO, LOS HOMBRES Y LAS BALSAS

Por donde el Marañón rompe las cordilleras en un voluntarioso afán de avance, la sierra peruana tiene una bravura de puma acosado. Con ella en torno, no es cosa de estar al descuido.

Cuando el río carga, brama contra las peñas invadiendo la amplitud de las playas y cubriendo el pedrerío. Corre burbujeando, rugiendo en las torrenteras y recodos, ondulando en los espacios llanos, untuosos y ocres de limo fecundo, en cuyo acre hedor descubre el instinto rudas potencialidades germinales. Un rumor profundo que palpita en todos los ámbitos, denuncia la creciente máxima que ocurre en febrero. Entonces uno siente respeto hacia la correntada y entiende su rugido como una advertencia personal.

Nosotros, los cholos del Marañón, escuchamos su voz con el oído atento. No sabemos dónde nace ni dónde muere este río que nos mataría si quisiéramos medirlo con nuestras balsas, pero ella nos habla claramente de su inmensidad.

Las aguas pasan arrastrando palizadas que llegan de una orilla a la otra. Troncos que se contorsionan como cuerpos, ramas desnudas, chamiza y hasta piedras navegan en hacinamientos informes, aprisionando todo lo que hallan a su paso. ¡Ay de la balsa que sea cogida por una palizada! Se enredará en ella hasta ser estrellada contra un recodo de peñas o sorbida por un remolino, junto con el revoltijo de palos, como si se tratara de una cosa inútil.

Cuando los balseros las ven acercarse negreando sobre la corriente, tiran de bajada por el río, bogando a matarse, para ir a recalar en cualquier playa propicia. A veces no miden bien la distancia al sesgar, y son siempre cogidos por uno de los extremos. Sucede también que las han visto cuando ya están muy cerca, si es que los palos húmedos vienen a media agua, y entonces se entregan al acaso... Tiran las palas —esos remos anchos que cogen las aguas como atragantándose— y se ajustan los calzones de bayeta para luego piruetear cogidos de los maderos o esquivarlos entre zambullidas hasta salir o perderse para siempre.

. Los tremendos cielos invernales desatan broncas tormentas que desploman y muerden las pendientes de las cordilleras y van a dar, ahondando aún más los pliegues de la tierra, a nuestro Marañón. El río es un ocre de mundos.

Los cholos de esta historia vivimos en Calemar. Conocemos muchos valles más, formados allí donde los cerros han huido o han sido comidos por la corriente, pero no sabemos cuántos son río arriba ni río abajo. Sabemos sí que todos son bellos y nos hablan con su ancestral voz de querencia, que es fuerte como la voz del río mismo.

El sol rutila en los peñascos rojos que forman la encañada y se alzan hasta dar la impresión de estar hiriendo el toldo del cielo, pesadamente nublado a veces, a veces azul y ligero como un percal. Al fondo se extiende el valle de Calemar y el río no lo corta sino que lo deja a un lado para pasar lamiendo la peñolería del frente. A este rincón amurallado de rocas, llegan dos caminejos que blanquean por ellas haciendo piruetas de bailarín borracho.

Los caminos son angostos aquí, porque los cristianos y las bestias no necesitan más para salvar las rijosas montañas familiares, cuyos escalones, recodos, abismos y desfiladeros son reconocidos aun durante la noche por los sentidos baqueanos. Un camino es solamente una cinta que marca la ruta y hombre y animal la siguen imperturbablemente, entre un crujir de guijarros, haya sol, lluvia o sombra.

El uno nace al lado del río, al pie de las peñas del frente, aceza un rato por una cuesta amarilla donde crecen frondosos árboles de pate y se pierde en la oscuridad de un abra de los cerros. Por allí vienen los forasteros y nosotros vamos a las ferias de Huamachuco y Cajabamba, llevando coca de venta o a pasear simplemente. Los vallinos somos andariegos, acaso porque el río —¡nuevo Dios!— nos plasma con el agua y la arcilla del mundo.

El otro baja de la puna de Bambamarca, por el abra de la quebrada, cuya agua canta espejeando entre los peñascales y tiene tanta prisa como él de juntarse al Marañón. Ambos se pierden bajo el umbroso follaje del valle, entrando el camino a un callejón sombreado de ciruelos, mientras el agua se reparte en las acequias que riegan las huertas y nos dan de beber. Por él llegan los indios —que lagrimean con los mosquitos hechos unos zonzos y toda la noche sienten reptar víboras como si hubieran tendido sus bayetas sobre un nidal— a cambiarnos papas, ollucos o cualquier cosa de la altura por coca, ají, plátanos y todas las frutas que aquí abundan.

Ellos no comen mangos porque creen que les dan tercianas, y lo mismo pasa con las ciruelas y guayabas. A pesar de esto y de que no están aquí sino de pasada, los cogen las fiebres y se mueren tiritando como perros friolentos en sus chocitas que estremece el bravo viento jalquino. Ésta no es tierra de indios y solamente hay unos cuantos aclimatados. Los indios sienten el valle como un febril jadeo y a los mestizos la soledad y el silencio de la puna nos duelen en el pecho. Aquí sí pintamos como el ají en su tiempo.

Aquí es bello existir. Hasta la muerte alienta vida. En el panteón, que se recuesta tras una loma desde la cual una iglesuca mira el valle con el ojo único de su campanario albo, las cruces no quieren ni extender los brazos en medio de una voluptuosa laxitud. Están sombreadas de naranjos que producen los frutos más dulces. Esto es la muerte. Y cuando a uno se lo traga el río, igual. Ya sabemos de la lucha con él y es antiguo el cantar en el que tomamos sabor al riesgo:

> "Río Marañón, déjame pasar:
> eres duro y fuerte,
> no tienes perdón.
> Río Marañón, tengo que pasar:
> tú tienes tus aguas,
> yo mi corazón".

Pero la vida siempre triunfa. El hombre es igual al río, profundo y con sus reveses, pero voluntarioso siempre. La tierra se solaza dando frutos y es una fiesta de color la naturaleza en todas las gradaciones del verde lozano, contrastando con el rojo vivo de las peñas ariscas y el azul y blanco lechoso de las piedras y arena de las playas.

Cocales, platanales y yucales crecen a la sombra de paltos, guayabos, naranjos y mangos entre los que canturrea voluptuosamente el viento haciendo circular el polen fecundo.

Los árboles se abrazan y mecen en una ronda interminable.

Centenares de pájaros, ebrios de vida, cantan a la sombra de la floresta y más allá, junto a las peñas y bajo el oro del sol, están los gramalotales donde se engordan los caballos y asnos que han de ir a los pueblos llevando las cargas. La luz refulge en los lomos lustrosos y las venas pletóricas les dibujan ramajes en las piernas. Cada relincho es un himno de júbilo.

Las casuchas de carrizos entrelazados y techo de hoja de plátano se amodorran entre los árboles a la vera de las huertas. Son de líneas rectas, como que están armadas sobre tallos de cinamomos esbeltos. De ellas salen los cholos pala en mano, o lampa en mano, o hacha en mano rumbo al quehacer, o solamente checo en mano para tenderse a remolonear, mientras el aire hierve al sol, bajo cualquier mango o cedro amigo.

Porque, ha de saberse que los árboles que respetan nuestras hachas son los cedros y ante su abundancia se quedan los forasteros con la boca abierta. A veces, cuando hay buen humor, se corta alguno y se hace una pequeña mesa o un banco a golpe de azuela, pero lo más frecuente es encontrarlos en pie, prodigando su amplia sombra a las casas y las lomas, los senderos y las acequias y desde luego al cristiano que va en pos de ella.

Y el palo venerado es el de balsa. Cenizo de color, el muy rogado, crece contando los años y es propiedad del dueño del lugar en que nace. ¿Quién pelearía por un palto o un naranjo y hasta por un cedro? Nadie. Pero por un palo de balsa es otra cosa. Ha habido peleas serias en las que ha relucido el cuchillo y ha corrido la sangre. Una vez el cholo Pablo mató al Martín por cortarle un palo mientras él se hallaba ausente. Volvió el Pablo del pueblo y echó de menos su palo y averiguó... Seguidamente fue donde el Martín. Estaba en la puerta de su choza.

—¿Quién miá cortao el palo?

Y el cholo Martín haciéndose el mosca muerta y riendo:

—¿Luan cortao?

El Pablo se ajusta la faja como para pelear y dice:

—Claro que luan cortao, no se va dir solito...

Y el Martín, mascando su coca como si tal cosa:

—Estoy por crer quel palo se juyó solito...

Entonces el Pablo no pudo más y sacó su cuchillo abalanzándose sobre el Martín. Un solo golpe al pecho y no tuvo tiempo ni de gritar "¡ay!". El Martín es difunto hace cuatro años.

Los palos de balsa escasean cada vez más. Quedan algunos y los dueños los cuidan amorosamente, pero crecen haciéndose aguardar. Si no fuera por ellos, ¿cómo cruzaríamos el Marañón? Su unión forma las balsas, esas cuadrangulares armazones que pasan el río hasta podrirse o ser llevadas por él y pueden contar mil historias.

Río arriba, hay un valle que se llama Shicún donde los palos abundan. Los dueños hacen negocio vendiendo balsas y los compradores se vienen con ellas por el río. Todos los calemarinos hemos ido a Shicún muchas veces pero no todos hemos vuelto.

¡Balsa: feble armazón posada sobre las aguas rugientes como sobre el peligro mismo! En ella va la vida del hombre de los valles del Marañón, que se la juega como en un simple tiro a cara o cruz de moneda.

II

EL RELATO DEL VIEJO MATÍAS

Corría marzo en sus finales y el río estaba mer
mando. Una tarde pasamos a un forastero ya sin
gran trabajo. Era un joven de botas, pañuelo de seda
al pescuezo y alón sombrero de fieltro. Su elegancia
resaltaba ante nuestra elemental indumentaria de vallinos; sombrero de junco, camisa de tocuyo, pantalón
de bayeta, rudos zapatones u ojotas chocleantes y
acaso también un gran pañuelo rojo que envuelve
el cuello defendiéndolo del sinapismo del sol. Su caballo era un zaino grande y bueno, sólo que bisoño
en estos lugares y tuvimos que remolcarlo desde la
balsa con una soga. El apero relucía en sus piezas
plateadas, lo mismo que las espuelas del jinete y la
cacha de su revólver, metido en funda que pendía
de un cinturón de gran hebilla.

El señor era blanco, alto, y miraba vivazmente en
un juego chispeante de pupilas. Enteco como una
caña, parecía que su cintura iba a quebrarse de pronto. Su voz suave y delgada iba acompañada de pulidos
gestos de manos. Estaba claro que no era de estas
regiones, donde los hombres son cuadrados como las
rocas y hablan con voz alta y tonante, apta para los
amplios espacios o el diálogo con las peñas.

El forastero se hospedó en la casa del viejo Matías,
la más grande de todo el valle, extendiendo su toldo

de dormir en el corredor. El viejo lo miraba disponer su blanca tela sonriendo y al fin le preguntó:

—¿Cómues su gracia y quiá veniduste hacer puacá?

El joven respondió amablemente, aunque con una irónica sonrisa que se diluía en las comisuras de sus labios finos:

—¿Gracia?

—Sí, cómo se llamasté...

—¡Ah!, Osvaldo Martínez de Calderón, para servirles y he venido a estudiar la región.

Después aclaró que era de Lima, ingeniero, hijo del señor fulano de tal y de la señora mengana de cual y que trataba de formar una empresa para explotar las riquezas naturales de la zona. El viejo se rascó la coronilla ladeando su junco sobre el ojo, frunció el hocico, torció los ojos, se vio que quiso hacer una broma o una objeción, pero se concretó a decir únicamente:

—Tienusté su casa, joven, yojalá le vaiga bien...

Don Matías Romero vivía con su mujer, doña Melcha, tan vieja como él, y su hijo Rogelio. El Arturo Romero tiene su vivienda a unos cuantos pasos, pues sacó mujer con tiempo. La casa del viejo cuenta con dos habitaciones y un espacioso corredor, como que es una buena casa. El viento cuchichea entre las secas hojas del techo y bate sus alas a través de los carrizos de la quincha, refrescando a los moradores del bochorno perenne de estos valles.

Yo fui esa tarde a la casa del viejo a ver al recién llegado y echar una mano de charla. Al extremo del corredor estaba el Rogelio tendido en su barbacoa, mientras el forastero, don Matías y el Arturo ocupaban toscos bancos de cedro junto a la puerta.

—Pasa, hom... llega, hom... —suena la voz amistosa del viejo.

Él y doña Melcha han hilvanado muchas arrugas en las caras cetrinas, pero tienen los corazones animosos. Una entrecana perilla de chivo da al viejo un aire pícaro. El Arturo es ya mayor y así lo demuestran las renegridas cerdas que se erizan sobre su labio a modo de bigote. En la cara del Roge hay aún una pelusa de melocotón verde, entre la cual una que otra barba surge solitaria como maguey en pampa.

Un forastero de tan lejos —¡dónde diablos quedará esa Lima tan mentada!— es un acontecimiento, y nos ponemos a charlar de todo. Está cayendo la tarde y el calor es húmedo. Flota un vaho de tierra removida y chirrían los grillos y cigarras. Desde un naranjo caen blandamente esferas de oro y en la copa de un arabisco azulea y solloza un coro de torcaces. La vieja Melcha cocina en un fogón, levantado al pie del mango que crece ante la puerta y nos llega un olor que dice de su intención de quedar bien con el huésped. Mascamos coca y fumamos los cigarrillos finos que el recién llegado nos obsequia. Este señor responde a la ligera nuestras preguntas y en cambio se asombra de cuanto hay. Tenemos que darle explicaciones hasta de nuestros checos caleros, diciéndole que estos pequeños calabazos sirven para guardar la cal y se queda mirando el mío que tiene un cuello labrado en asta de toro y una tapa del mismo material donde se acurruca un monito con la cara fruncida de risa. Saca la tapa y se punza con el alambre de la cal, probando la punta en el dorso de la mano. Nos reímos y él se pone colorado como un rocoto.

Se deshace en preguntas el joven éste y don Matías suelta la lengua sin que tenga que jalársela. El viejo es de los que conversan a gusto cuando hay que contar de su tierra.

—¡Cómo jué la crecida, señor! Se llevó dencuentro to un lao diun yucal y dos balsas questaban más abajo, en el varadero, sacadas aun sitio onde no llegó lagua, dinó hace tiempenque... cual contabel finao Julián.

—¿Mucho, entonces? —inquiere el forastero.

—Cual nunca, señor, dinó haciañus...

—Don Julián es finao hace diez años —aclaro.

—Sí, pué —ratifica el viejo. Y prosigue—: No quedó dinó la balsita el Rogelio, déste —dice señalando al hijo, que coquea impasible— yel cholito luabía hecho como jugando, con palos malos bajaos dentre las peñas e lotra banda. Es tan chiquita, como luabrá visto, que parece puñao e chamiza en medio lagua.

Lo peyor era que la gente venía pa quedarse enel frente dispués diaber caminao tantas leguas con lesperanza e pasar. Los más fregaos son los celendinos. ¡Ah, condenaos cristianos! Esos shilicos po vendele sus sombreros a tuel mundo siandan más sea con tuel invierno encima. Otras veces eran negociantes e ganao, o gente e consideración, o inditos tamién. Esa gente ay aguardaba que la pasáramos. ¡Ah cristianos! De noche priendían su candelita enel pie dialguna peña que juera como cueva pa hacer e comer. Y estaban tuel día gritando: "vengan a pasarnooooóos"... "a pasarnooooóos"... Yel río que bramaba haciéndose espumarajos y creciendo como cosa e brujería.

—¿Mucha era el agua? —pregunta todavía el forastero.

—¡De vicio, señor! Siestaba de bote en bote. Aura quia pasao, usté lua visto que se descascaran las piedras diuna costra negra, rajada puel sol. Tueso lo tapó lagua, que dejuel limo poray... Y los cristianos alotro lao grita que grita, como le digo: "vengan balserooooóos"... "balserooooóos". Yuno es balsero, pue, ¡qué diablos! Hay que pasar entón a la gente anque no le paguen dinó un *ochenta* po cada cristiano. Y salíamos entón en la balsita el Roge, dos palas po costao, jalando agua duro. Largábamos bien arriba pa dir a recalar justo en el mesmo pie e La Repisa, esa piedra chata quiaura quedalta yenesos días erel embarcadero. Llegábamos sudaos y gritando quempuñaran la soga que les aventábamos. Se quería subir tuel gentío, pero aguantábamos nomá hasta que lagua llegaba po los tobillos. Si sobraba gente otra guelta veníamos. Los comerciantes sechaban los bultos e sus mercancías a lespalda pa que no se mojaran. Íbamos a salir bien abajo, po la condenada corriente que nos quitaba las palas a su gusto.

—Las jundíamos comuen barro tieso —dice el Arturo quebrando su mutismo de rumiante de coca.

—Dispués —prosigue don Matías— bía que tirar la balsa conuna soga dente lorilla pa empuñar altura y golver a pasar.

—¿Y las bestias? —inquiere el costeño sin duda pensando en su caballote remolón.

—Pasaban a nado, señor. Anque las bisoñas tenían quir amadrinadas conuna que supiera. Algunas hay tan sabidotas y baquianas que tiran pal río apenitas bajel jinete. Así pasó con la mula e don Soria, que siaventó con montura, yalforja y to. Lalforja taba con plata ya don Soria le parecía que siba a cair. Bía que velo ondese cristiano como pataliaba enel otro lao gritando: "mi plataaaáa..., mi plataaaáa se va en la mulaaaáa". Único las peñas les respondían, pue nosotros qué luíbamos hacer, pero la mulla llegó pacá con to. Cuando pasó don Soria, no se convencía questaba con toíto, sólo que con lalforja yel apero chorriando agua... Sacó los cheques y se pusua secalos al mero solcito, dándoles viento con el sombrero e·ratuen rato yneso se volaban yél corría puatrás...

Nuestras risas son como galgas por la bajada de la ironía. El forastero, complacido, saca de su alforja una botella de licor fino y nos convida. Luego se admira conscientemente:

—¡Entonces es tremendo esto!

Y don Matías, que ha soltado la lengua para no parar:

—¡Ah, señor! Una vez se devisó una palizada; pero jalamos juerte y salimos coñel tiempo contao. Una señora que venía ya bien panzoncita se puso blanca comuel papel y llegando pa lorilla, ay nomá abortó... ¡Ah, creciente deste añu! Habrá memoria della pa un tiempenque...

—Pero ¿ustedes pasaban siempre? —apunta el preguntón.

—Quesqué, señor. Si nuabía balsa güena y lagua se llegaba hinchar comuna mesma juria. Una vez, ¡qué ni contalo!, se vinua inflar como si trajiera *Cayguash*, el mostro que casi naides ha visto, pero ques comun lobo con cien manos y no parece dinó cuanduel río tiene que tragar po juerza pa dale e comer al maldito. Venía mucha palizada tamién, ya lotro lao bajaron unos señores muy togaos, de sombreros blancos y botas, coloriando los pañuelos al pescuezo. Desensillaron sus bestias que pasaron braciando como perros de tan ligero, pero naides pasaba de miedual *Cayguash*, que dejuro andaba viendo comualimentarse dialgún cristiano. Ay taban en La Repisa haciendo su candelita po las noches. Cuando llovía o soplaba viento muy juerte, nieso tenían. Y tuel día lo pasaban escarbando al pie los pates.

—¿Al pie de los pates? —se asombra el extraño.

—Sí, pué, señor. Arbolito gracioso esel. De la corteza se saca fibra pa sogas ques tal fibra colorada o tamién amarilla según el genio el árbol. Yen las raíces tiene bultos como papas y tal vez más grandes. Esos bultos se llenan diagua enel invierno yesa le sirve pal verano, pueso vive dentre las meras peñas. Los señores escarbaban pa chupar lagüita e los bultos el pate.

—¿Y aquí toman el agua turbia del río?

—Quesqué, señorcito. Se junta e la quebrada que se limpia cuando no llueve y se guarda pa los días que llueve. Ya se les acabaría la comida onde los señores, tamién. Uno se subió aun pedrón comua la semana y gritó: "Traigan comidaaaáa"..., "les pagamoooóos"... "Idaaaaaáa"... "amooooóos"... "amooooóos"... contestaban las peñas. Yel señor batía pedazos como si jueran pañuelitos. ¡Cheques, claro! Nosotros nos ajuntamos a lorilla mascando nuestra coca yéramos como veinte cholos. Reparábamos al río que blasfemaba común condenao y naides sianimaba. El cholo Dolores contaba que lotra noche oyó resollar al *Cayguash*. Yo con mis hijos biéramos pasao, pero la balsita no valía pa eso. Yel señor subía pa gritar más toavía: "comidaaaáa"... "les pagamoooóos". Y las peñas que contestaban al tiempo quél enseñaba los cheques al aire. Tanto oílos y velos, el Rogelio quiso dir. Su mama y toítos le rogamos que no juera, peruél dijo que lo pasaba nadando solito.

—¿Qué Rogelio? —curiosea el huésped.

—Éste, pue, mi cholo Roge —dice el viejo señalando al hijo con entonación que refleja molestia por no haber tomado nota de ello en su anterior indicación. Y continúa, pavoneándose, mientras el checo de cal resuena golpeando el nudo del encorvado pulgar zurdo—: El Roge hizo quipe con yucas cocinadas y plá tanos y luamarró a lespalda calata, pue se botó la camisa. Dispués se fajó con muchas güeltas e su faja más ancha el calzoncito e balsero y se jué metiendual río. Acostumbrao taba a tirarse diun pedrón que dentra hasta parte jonda, peruesa vez taba con quipe, asies que dentró po lorilla nomá. Cuando le faltó piso, comenzó braciando. Bía que velo ondel cristianito nadar echando espuma. Los señores del lotro lao le gritaban: "tira, tira cholito"... Y nosotros que tamién gritábamos: ¡dala, dale!... Y la mama tamién: "¡dale, Rogito, dale pué, hijito, tienes que golver!"... Yel río que bramaba yel quipe parecía solún puntito en medio e los tumbos diagua negra. Pero mi cholo Roge bració duro —¡con veinte añus, cómo no!— y jué a dar al mero pie'e La Repisa. Los señores lecharon una soga y salió luego. La güelta, ya sin peso, jué más fácil, pero con to salió abajenque... Vino pa nosotros po las piedras e lorilla y llegó acezando y conel pecho ensangretao diuna rasmilladura que dejuro jué diun palo e debajo lagua. Unos dijeron quera quel *Cayguash* le bia dao un zarpazo. Medio asustao, medio riéndose, mi Roge sacó e su boca tres cheques coloraos dia libra caduno. El río bajó comua los tres días y podimos balsiar onde los señores...

Don Matías calla mientras el Roge se da vuelta en su barbacoa y ríe, ahora sí intensamente, sin el contrapeso del susto. La vieja Melcha trae estiércol encendido en una callana para que el humo espante los zancudos. Todos, a excepción del presumidito forastero, nos hemos metido grandes bolas y conversamos animadamente. Él no quiso parlarnos de Lima, pero en cambio terminó con su licor fino que, unido a nuestro guarapo, nos pone patas arriba la mesura. Alegremente revienta en nuestras bocas la cancha de la risa en tanto que el calor del valle nos envuelve con el crepúsculo en una morada manta tibia. Comemos de buena gana la gallina frita con yucas y los camotes que doña Melcha nos sirve, y plátanos que el viejo arranca de los racimos que hemos visto amarillar toda la tarde tras los carrizos de la quincha.

Obscureció y el Roge hizo candela en una delgada vara que atravesaba sucesivos frutos de higuerilla, blancos y pelados, que ardían crepitando. Los tucos y las pacapacas estremecían el follaje con su canto lúgubre. Arriba, el cielo despejado hacía brillar millares de estrellas. Parecía un tazón de bronce bruñido. Los zancudos comenzaron a zumbar en gran número, y don Osvaldo se metió bajo su toldo.

Dijo el Arturo, mirando el cielo refulgente y limpio:

—Con verano y to, balsa nos falta...

—Sí, pué —apuntó el Rogelio—. Aquí nuay palos que digamos y tendremos que dir a Shicún.

Masticando el proyecto junto con la coca, permanecimos un rato silenciosos. Era cosa de ir y traerse una buena balsa. Seguro que costaría unos treinta soles, pero no importaba. El Arturo se removió en su banco:

—Vamos, pué, con vos —dijo, mirándome.

Yo tenía ganas de ir nada más que por tirar un poco de pala y beber el cañazo que sacan en Shicún, donde hay cañaveral, trapiche y alambique, pero recordé que había plátanos por cortar y que la siembra nueva necesitaba una mano de ceniza, de modo que sería necesario encender monte.

—No puedo, pué. Tengo que plantar estos días enel terrenito que limpié y voya quemar monte. Si me tardo, el gramalotal me va ganar...

El Arturo hizo sonar su checo en el nudo y se volvió hacia el hermano:

—¿Y vos, hom? Vamos contigo, nadadorenque...

El Rogelio andaba esos días como el gallo, haciéndole la rueda a la Florinda, pero no dio lugar a que se insistiera sobre el viaje. Respondió, dándose su aire, eso sí:

—Yastá, pero primero tomaremos algo enel fundo y trairemos algunos poros del juerte pa convidar. Estos treinta mestán pesando...

Doña Melcha fue enterada de que tenía que hacer el fiambre, y el viejo Matías siguió hablando de cuanto se le ocurría. El ingeniero, amodorrado por el calor, estaba ya roncando bajo su toldo. El viejo proyectaba lavar oro en el Recodo del Lobo para venderlo a los negociantes durante la feria de Pataz. Yo estaba contento con la perspectiva de mi platanar y no me entusiasmó gran cosa su oro. Pensaba también ir a la fiesta, pero bastaría con lo de la huerta: coca y quizá plátanos. El Arturo y el Roge dijeron que, volviendo con la balsa, verían. Tal vez iban a venderla o, más seguramente, a dedicarse a balsear ellos mismos. Era cosa que verían después, pero de todos modos, tendrían plata para la fiesta.

Los murciélagos pasaban haciendo rúbricas fugaces en la sombra.

Al otro día, muy de mañanita, el forastero ensilló y partió por el caminejo que serpea cuesta arriba. Los hermanos se fueron, alforja y poncho al hombro, por uno que ni se distingue y va por la orilla del río a dar a Shicún, quebrándose en innumerables altibajos en la pedrería de las playas o haciendo obligadas maromas en las laderas, cuando el río se pega a las peñas. La plata para la balsa la ponían los dos.

III

LUCINDAS Y FLORINDAS

Acurrucada bajo los árboles, cercana a la del viejo Matías, está la casa del Arturo Romero y la Lucinda es quien hace allí sonar los mates. Los bohíos se despiertan entre un concierto de chiroques y chiscòs al que los jergones añaden el coro de sus voces estridentes. Se aduermen arrulladas por el canto de los tucos y las pacapacas y todo el día sienten la melodiosa parla de los pugos y las torcaces. Hay siempre música de aves en la floresta, y el Marañón, con su bajo tono mayor, acompasa la ininterrumpida canción.

La Lucinda es poblana, en sus ojos verdes llueve con sol y es ardilosa al caminar cimbrando todo el cuerpo flexible como una papaya. Su vientre ya ha dado un hijo, que se llama Adán. El cholito anda pegado a la falda de la mama, porque ella lo asusta con las víboras para que no se aleje, de modo que es una felicidad si el Arturo, que cuando se encuentra aquí está casi siempre sobre las melgas, lampa en mano, librando a la coca y al ají de la yerba tenaz, grita de pronto:

—Lescopetaaaáa...

Entonces el Adán, que apenas puede con su cuerpo, va hacia el padre tambaleándose con el arma a cuestas, mirando de reojo ese misterioso fulminante que brilla como los dientes de oro de los señores. El Arturo, mientras los pugos se aman cantando en las altas ramas, tira sigilosamente del gatillo para que no suenen los duros muelles, y luego una estampida violenta rompe el ritmo armonioso del valle. De las peñas otros tiros contestan.

Entre un reguero de plumas, las palomas caen aleteando y el Adán se acerca y les retuerce el cuello advirtiendo que, en el instante en que mueren, una mosca azul se escapa de las alas. El taita explica que ésa es la mosca que todos los pugos llevan bajo el ala y les anuncia el peligro, de suerte que, cuando se descuida, el cazador los encuentra desprevenidos y puede hacer un buen blanco. De allí el dicho, si es que uno anda mal en cualquier sentido: "se te duerme la mosca, hom".

El pequeño retorna con la escopeta arrastrándole por los talones mientras aprieta con las manitas ensangrentadas los cuerpos aún cálidos de las aves. ¡Es una dicha inigualada la de sentirse así embarazado por el arma humeante todavía y la caza goteando sangre, en medio de la tremenda floresta plagada de víboras y péligro!

El Adán crece junto con grandes ambiciones. Sueña con el día en que podrá empuñar pala y "jalar agua" igual que el taita, pero su perspectiva inmediata es la de subir a ese palto donde los jergones han hecho con malezas, fibras y pelusas un maravilloso nido en el que habita una bandada. La madre le advierte que tendrá que postergar tales deseos para cuando sea más grande y él tiene que aceptarlo, derrotado por la visión de sus manitas que apenas arañan el tallo del palto.

Sintiendo el cariño de los taitas, que se ahonda en su alma igual que las raíces de los árboles en la tierra, se consuela. El Arturo lo esperó mucho y la madre también. Él los unió a firme, porque ¿de qué valdría una mujer machorra? Ha de tener hijos y será completa así. Agua para la sed, pan para el hambre y, además, surco. Surco para la vida.

El Arturo y la Lucinda se enredaron en Sartín. Mientras él hace el camino a Shicún y vuelve con la balsa, bueno resultará saber su historia que es, en gran parte, cosa de río. Río de agua y río de sangre, ambos a dos agitados y convulsos, cabales para hacer presa del cristiano desgajándolo como a una pobre rama.

Hace cinco o seis años —sí, seis, porque nuestro Marañón ha cargado seis veces desde entonces— los hermanos fueron a la fiesta de ese pueblo.

Llegan noche cerrada ya. Golpes de bombo y gemidos de flauta los salen a recibir cuando trotan por la bajada. Entrando, se precisa un rasgueo de guitarras y voces que entonan marineras pícaras.

."Al subir las escaleras / te vi las medias azules...

Luz de lámparas a querosén o de velas titilantes sale por las puertas cortando en retazos amarillos la obscuridad de las callejas. Las sombras tejen allí su danza. Los grupos de indios ebrios que van de un lado a otro hablando en lengua estropajosa o entonando canciones doloridas, se apresuran a dejar paso libre a los fogosos jinetes que son anunciados por un gran alboroto de cascos. Algunos gritan: ¡"Vivan los taitas!", y los Romeros cruzan como una exhalación para plantarse en seco frente a una casa donde el bombo pronuncia cercanamente su son rotundo. Los potros bufan y orejean negándose a avanzar por la alarmante zona de retumbos, pero las espuelas les rajan los ijares y, dando un salto, emprenden una furiosa carrera atropellando a la indiada. Arriban a su posada llamando a la dueña a grandes voces.

Doña Dorotea los recibe amablemente, con sus buenas maneras de poblana, repletándoles los vasos con la chicha que ha preparado para la fiesta y que ellos beben a largos tragos en tanto que, a su lado, los potros relinchan venteando el alfalfar cercano.

—¿Y comuestá el valle?

—No sia movío...

Los cholos desensillan alegremente los jamelgos sudados.

A la pequeña mesa dispuesta en el corredor, llega la Lucinda llevando las viandas olorosas. El mechero de sebo alumbra lo suficiente para ver a la cholita, que obsequia a los forasteros con una preocupación solícita, en un ir y venir continuado.

El Arturo, mientras engulle una pierna de cuy, codea al Roge:

—Ta güena, hom...

Claro que está buena. En los dos años que han faltado a la fiesta, la cholita se ha sazonado como un fruto. Cuando se acerca a la mesa, el Arturo la contempla a su gusto. La luz la baña débilmente, destacando mejor, entre grandes planos de sombra, la faz fina y los senos erguidos. Los ojos verdes brillan alegremente bajo el arco tenso de las cejas. Dicen las malas lenguas que es hija de un gringo minero que se hospedó una noche en casa de doña Dorotea, y ha de ser verdad, porque la señora gasta fama de haber tenido el "ojo alegre" y a don Antuco, su difunto marido, la muchacha no le decía taita.

Ahora ella se queda en la puerta viéndolos irse a un baile después de terminar su abundoso banquete y vaciar muchos vasos. El Arturo da unos cuantos pasos y se vuelve:

—¿No vasté?

—Nuay querer mi mama...

—¡Ba!, yo le hablo.

Doña Dorotea asiente al fin, recomendando mucho que vayan a casa de su comadre Pule y "no se hagan muy tarde", a lo que ellos responden con alborozadas y complacientes afirmaciones a la vez que echan a andar. La Lucinda va por delante desgranando su charla y llevando a su pequeño hermano, por orden de la madre, prendido a su falda en una infantil vigilancia. Los indios, sombrosos de noche, bullen en las callejas interceptando el paso y el Arturo los aparta a manotadas:

—Camino pa la preciosidad...

Huele a guisos de ají y pimienta, a chicha y lana mojada, pero muy cerca, junto al Arturo, flotando de los senos palpitantes de la Lucinda, se esparce una fragancia de Agua Florida y carne moza que lo hace morderse la boca y abrir grandes narices que respiran ruidosamente. Al pasar una acequia la coge del brazo y le queda en la mano una sensación de plácida tibieza. Se arriesga a tutearla por fin:

—¡Tias güelto güenamoza!

Y ella, sonriendo con un resplandor de apretados y finos dientes blancos:

—Y vos tias güelto mentiroso...

Una avellana sube chorreando luz y estalla arriba, estremeciendo los negros telones que la noche deja caer sobre la vigilia del pueblito alegre. Hacia allá, lejos, palpitan luces rojas. Son los fogones de las casuchas recostadas en las faldas de los cerros y que, esperando la vuelta de los fiesteros, no duermen aún.

En el baile de doña Pule, la Lucinda resulta un primor, sonriendo siempre con la carnosa boca y los chispeantes ojos verdes, y dando vueltas como un piruro, hila que hila el son cadencioso de las danzas. Hay dos indios cajeros, con sus bombos y flautas, y un cojo que toca el acordeón y canta. Los indios, a través de sus lloronas cañas de saúco y sus parches que son el eco de truenos lejanos, vuelcan a la pieza las cashuas de la altura. Cuando se cansan entra el del acordeón con las chiquitas poblanas. El gusano del fuelle se retuerce sobre el muñón almohadillado, jadeando un gangoso acompañamiento al canto con el cual tiemblan sus lacios bigotes mestizos y rebotan los bailarines:

Desde Junín y Ayacucho, libertá...
negrita, ¡viva el Perú!, preciosa, ¡viva el Perú!...
Cuándo será mi Junín pa tu fiera majestá...
negrita, ¡viva el Perú!, preciosa, ¡viva el Perú!

La Lucinda se vuelve miel de caña. El Arturo baila frente a ella "echándole tuel resto" —expresión del Roge— pero la cholita lo vence siempre con un derroche pródigo de esguinces. El basto calzado del cholo, en el zapateo furioso, levanta polvo. Las parejas son incansables. Cada uno con su cada una. El Roge se ha buscado una coteja para no romper el compás y le guiña el ojo al hermano:

—Hom, vaya con la suerte e ser mayor y hombre e rispeto...

La chicha abunda en baldes, en poros, en vasos, en mates. El Arturo sale y retorna abrazando contra su ancho tórax muchas botellas de cañazo:

—¡Güena!, estos vallinos son bien desprendíos...

Es un riego de alegría. La atmósfera se penetra de alcohol y respirar es suficiente para embriagarse. La Lucinda siente una comezón endiablada en las venas y se estremece entera cuando el Arturo, cogiendo el rojo pañuelo con las dos manos, se lo pasa tras la nuca y la hace acercarse a él aún más, hasta que los pezones vibrantes de danza y de angustia rozan su pecho membrudo. ¡Ah, templino bárbaro! El pequeño duerme en un rincón y ella está alegre de sentir que sus ojos hablan al mozo como nunca se atrevió a hacerlo antes y que sus manos han llegado a cogerse de la cintura virilmente recia y elástica por el continuado balsear. Los pies danzan blandamente ahora, ritmando un contrapunto de entrega y huida, de retorno y vencimiento...

Doña Pule invita el caldo de gallina de costumbre y luego la despedida es ya ineludible. Por las calles van tropezando con los indios que se han tendido allí a dormir su pesado sueño ebrio. La noche avanzada hace circular violentas ráfagas de aire helado y se siente que, dentro de un momento, la aurora llegará a besar la aldea con su amplio beso de luz.

El Arturo lleva a la Lucinda del brazo. Su ruda mano la aprieta seguramente, pero la cholita advierte que está junto a él por otra presión que no es la de esa mano, aunque se le parece por lo fuerte. Su sangre se ha calmado, mas tiene en el pecho un sentimiento nuevo, profundo como la noche y luminoso como el día por venir. Ella se siente como la noche en espera del día. "¡Si será de cariño!", piensa, y se estremece. El Arturo no lo nota, pues marcha a su lado tomándole, como nunca, gusto a una repetida canción:

Si mi negrita quisiera
irse a la banda conmigo,
le pagaré la balsada
y cargaré tuel camino.

Es la misma canción que la Lucinda ha oído muchas
veces también, pero ahora le encuentra no sabe qué
encanto real y le parece que es el presagio de un viaje
y de otro mundo. ¿Con el Arturo acaso? Ambos van
muy juntos y se sienten hondamente ligados, pero sin
precisar que ya llegó el amor, aunque aquel sentimiento que les inquieta el pecho se hace canción y
llama a la aventura. Sin embargo, las palabras que el
Roge cambia con el pequeño soñoliento, suenan a sus
espaldas como viniendo de una región muy lejana.

En la casa, la Lucinda escucha a través de la pared
de cañas y barro que los hermanos hacen la cama con
las caronas de las cabalgaduras y se cubren con las
frazadas que la madre les ha dejado en la pequeña pieza. Parlan y parlan de una y otra cosa y al fin se si-
lencian.

Ella se deja caer junto al pequeño hermano ya dormido. Lo besa y abraza con una ternura desconocida
y se ciñe entera a él. Así, muy cerca, así muy cerca
a él, como si fuera el Arturo.

Un gallo aletea y canta a lo lejos.

Despiertan cuando el sol, muy alto ya, bruñe de oro
al pueblo. La multitud circula difícilmente por las callejas y se arremolina en la plaza, donde están danzando las bandas de pallas. Allí las indias con las chi-
llonas polleras rojas, verdes y amarillas cuya gritería es atenuada un tanto por los bajos tonos ocres de
los ponchos varoniles; los togados con los vestidos de
dril almidonado que crujen al andar; los celendinos
con sus listados ponchos de hilo, detenidos ante sus
rimeros de percalas, sombreros y baratijas; los albos
sombreros de lana prensada de los indios de Pataz y
los cestos de rosadas ollas de los del distrito de Molle-

pata, todo entre un marco de casas de paredes blancas y techos rojos que rodean la plaza, desde cuyos corredores los hacendados de la comarca —botas altas, pantalón de montar, sombrero de palma a la pedrada— espectan la fiesta bebiendo y disparando al aire sus revólveres, acompañados de sus mujeres que visten trajes nuevos y se cubren las espaldas con pesados pañolones de fleco.

La plaza es un cesto de chaquiras bajo una cóncava luna azul, por la que avanza un disco brillante prodigando áureos tonos.

La Lucinda va con los vallinos a gustar de la fiesta. Se ha echado todo lo bueno encima y está como si hubiera salido del baúl. Pañolón azul de Castilla, blusa blanca y pollera verde. Se toca la cabeza con un sombrero de alba paja y calza los pies breves con zapatos de taco. Ellos han removido las alforjas para no quedarse atrás. Lucen flamantes sombreros de palma, camisa de género blanco, pantalón de casinete a rayas negras y grises y zapatones de gruesa suela. El rojo pañuelo flota en torno al cuello. El Arturo —palangana el cholo— adorna su sombrero con una cinta de los colores peruanos. Forman un trío parlero en una esquina, junto a las mujeres que venden chicha y viandas, sentadas al lado de grandes cántaros rodeados de potos y lapas que muestran papas amarillas de ají y cuyes fritos.

Conversan mientras muerden las presas y beben plácidamente de los potos.

—Ta más güena que nunca la fiesta —dice el Arturo.

Y el Roge:

—Ojalá quel fin seiga tan güeno... Lo ques por mí, ya sabes que soy tu hermano...

La Lucinda se alarma, aspaventera:

—Array... questarán pensando los cristianos... Claro que la fiesta ta güena.

Y luego, dirigiéndose a là rugosa poblana que desaparece tras un rimero de potos:

—A ver, señora, este cuye ha sío agüelo dejuro..., chichita pa asentalo...

Las bandas de pallas cantan y bailan incesantemente, ceñidas por apretados círculos de espectadores. Visten trajes de una abigarrada policromía y se adornan con collares de cuentas de vidrio y perlas falsas. Sobre los abultados pechos y sujetos a las mangas, saltan y esplenden pequeños espejos despidiendo el fulgor del sol a todos lados.

La banda de la "coriquinga" comenta la existencia del bello pájaro de la puna. Uno de sus miembros, vestido de blanco y negro, imitando los colores del ave, describe su vida en señera soledad y alaba su hermosa presencia:

Yo soy güenamoza, yo soy coriquinga,
por ser tan bonita me llaman la gringa.

El coro responde asintiendo a veces y otras replicándole irónicamente, lo que hace estallar la risa que los circunstantes llevan a flor de labio.

La banda del "zorro y las ovejas" reproduce el asalto del primero al rebaño y la del "cóndor" elogia rendidamente al rey de las alturas. La muy mentada de los "guazamacos" ironiza respecto a las relaciones humanas y la vida doméstica. El "guazamaco" canta con ronca voz viril:

Mi montura y mi mujer
se perdieron hace tiempo.
Qué mujer ni qué demonios,
mi montura es lo que siento.

—Muy verdá —comenta un cholo.

—Güena, siuna montura es de sentilo —precisa el chalán de la hacienda Pomabamba, que está por allí, el poncho terciado y teniéndose en pie a duras penas.

Las mujeres del coro, con atiplada voz, replican que el "guazamaco" es un haragán que no sabe lo que es trabajo y que la mujer se marchó cansada de bregar de sol a sol. El perezoso no se da por vencido y cambia el tema sin dejar la ironía:

Voy a buscar mi mujer
güenamoza sin peinar,
pue siestá muy arreglada
mentira hay haber puatrás.

Las chinitas del círculo de espectadores —fiestera-
mente con las trenzas muy lisas y los vestidos muy
limpios— enrojecen entre las risotadas de los cholos,
que gritan su aprobación esparciendo un espeso vaho
de coca y alcohol.

Las pallas, después de cada cuarteta, danzan y se
entrecruzan al compás de una música de bombos, arpas o violines para detenerse luego a entonar las
canciones con el tema de su representación. A ratos
van hacia las casas y dicen versos, siempre elogiosos,
dedicados a los hacendados y sus mujeres. Ellos, en el
colmo de la filantropía, responden entregándoles un
buen montón de pesetas.

Las bandas de pallas son más y más cada vez. Suben y bajan al pueblo por todos los caminejos de acce-
so, seguidas de sus "mestros", indios o mestizos que
ejecutan los instrumentos. Los violinejos de manu-
factura primitiva llevan una mosca encerrada en la
caja, las arpas vibran difícilmente en sus rudas armazones cónicas y sólo los bombos y las flautas aparecen
en toda la pureza de sus voces hondas y dulzonas.

Llegan las bandas de los "moros" y los "turcos",
esos condenados que usan cuchillos para matar a
todo cristiano con temor de Dios, y otras meramente
cantantes que alaban a los hacendados y la Iglesia.

Este camino que llega, llega a una casa santa,
llega a una casa santa, de la Santísema Trenidá.

Cuando hace su aparición la banda de los oroyeros,
hay general entusiasmo, especialmente entre los vallinos y la Lucinda. Representa el paso del Marañón por
medio de cuerdas templadas y llega gritándolo en tanto que se forma un bullicioso remolino a su alrededor.
  —¡Vamo! —exclama el Arturo abriéndose paso, se-

guido de la Lucinda y el Roge—, éste sies un remolino comuen el mesmo río...

Un corro de chinas, que muestran flotantes trajes azules y flores del valle sobre los cabellos, entona versos alusivos al río. Los dos cholos de la banda, con sobrio gesto hacen relucir al sol los machetes que llevaban en las fundas de cuero que cuelgan de sus fajas, y simulan cortar los altos árboles, cuyos tallos —que llevan ya dispuestos— van a utilizar. Con barretas que alguien alcanza cavan hoyos en los que plantan los palos y seguidamente tiemplan entre ellos dos gruesas y paralelas cuerdas de cuero. Se supone que el río pasa bajo ellas. Hay aguas rugientes en los cantos. Las aguas quieren comer hombres. El río es voraz y muy bravo. Entonces los cholos comienzan a pasar pisando en una cuerda y cogiéndose de la otra. Tarea dura. "Valor, hermanito, valor—al pie está el río Marañón", dice el canto. Los hombres, haciendo temblar las sogas, se demoran en el paso. El peligro da vértigo. Vacilan. Van a marearse. Quizá a caer... Sí, van a caer y a perderse entre las aguas tumultuosas. "Valor, hermanito, valor—al pie está el río Marañón". Morirán tal vez. Las sogas tiemblan como nunca y ellos apenas pueden sujetarse. "Al pie está el río Marañón". Pero ya han avanzado. Más allá de la mitad se encuentran ya. "Valor, hermanito, valor". Se han recuperado completamente y dos zancadas bastan para alcanzar el otro lado, al que llegan dando jubilosos gritos. Entonces gime más agudamente el violín, el arpa trina con toda la fuerza de que es capaz y los bombos y flautas inician violentamente un aire de danza. Las pallas, dando vueltas, hacen un círculo en el que los oroyeros ingresan a bailar. Arriba, el sol se halla también muy alegre. El cielo azul refulge. Las pallas cantan que el río es bravo, pero que los hombres lo son más que él.

Lejano y sugestivo, los espectadores sienten el murmullo del río. El Arturo y el Roge recuerdan a su río infinito, grande hasta no alcanzar medida, y piensan con orgullo que ellos no lo desafían desde cuerdas templadas en alto, sino en las ágiles balsas libradas a su corriente, a la que vencen día a día. La Lucinda mira al Arturo sintiendo un río desde su vientre a su garganta, salvaje y bello en su ímpetu.

—Lindo ai ser—le dice.

—Cómo no, dejuro... Si quieres, vamonós... Las sogas tan güenas para los e la jalca. Yo lo paso balsiando... Vamonós, chiná.

¡Qué belleza la de cruzar el río y vivir junto al río con este hombre que lo domina! Será, sin duda, azul como la poza de la quebrada que pasa junto al pueblo y acaso prieto en el invierno, pero de todos modos muy grande, "grande hasta no saber el fin", como dicen los cantos y "con voz que amedrenta", como afirman también. Pero al Arturo y al Roge no les da miedo y a ella tampoco. Ha de ser otro mundo con otra vida...

—Güeno, pué—responde al cabo.

Cambian pañuelos. La garganta del Arturo desaparece bajo un lienzo de un azul violento mientras la muñeca de la china queda esposada con el rojo subido del que llevó el vallino. La color es intensa cual la emoción. Los ojos tienen un glauco lloroso y un pardo turbio de río. Pañuelos y ojos y colores... La feria ha desaparecido por un momento para ellos. Sólo hay pañuelos y ojos y colores...

La pareja, anudada a la multitud nuevamente, avanza viendo las pallas y todo lo que hay que ver. En dos casas grandes que dan a la plaza se baila, pues hubo dos matrimonios de hacendados durante la misa y los están festejando. Los indios se agolpan ante la puerta y los señores aparecen de rato en rato para regar pesetas a puñados y motivar momentáneos desórdenes bulliciosos en el recojo ávido de las monedas.

—Esa generosidá pal pago e su trabajo y tuestos indios estarían platudazos—comenta el Arturo.

El cura, que ha ido a la fiesta, está en una de las jaranas y no se queda tras de nadie bebiendo y "echando pañuelo". Cuando sale a la puerta dice a los indios con palabras que suenan muy allá, más allá de su vientre abultado como una loma:

35

—Hijitos míos, Dios quiere que sus fieles se diviertan. En beber con cuidado no hay daño...

Pero no piensan lo mismo los dos guardias civiles —novedad en la fiesta—que se pasean en ese momento por la plaza con fusil colgado al hombro, y revólver y espadín al cinto. Pertenecen al retén recién instalado en Huamachuco y llegaron con grandes humos queriendo prohibir que "todo títere con cabeza" —así habían dicho en una tienda— bebiera en demasía, por lo cual pusieron multa de dos libras a don Roque, el hacendado, que se emborrachó desde la víspera hasta hacer garabatos. Él pagó las dos libras y añadió otras dos diciendo:

—Esto es adelantao, mañana me aplico otra igual.

Desde esa vez, corridos por las pullas del pueblo y rechazados por los togados que no los dejan entrar a sus reuniones, se dedicaron a echar el guante a cholos e indios. Éstos miran respetuosamente los fusiles y llenos de admiración los sombreros de fieltro, las polainas relucientes y el uniforme verde olivo con botones dorados y franjas rojas. Se cruzan con la pareja en una de sus idas y venidas y detienen al Arturo, después de cuchichear mirando a la Lucinda.

—Oiga, amigo, ¿de dónde es usted? —pregunta uno de ellos sin qué ni para qué.

El vallino se para y los mira de alto abajo.

—Soy de mi tierra, señores...

El otro guardia frunce las cejas enfureciendo los ojos, la mano sobre la cacha del revólver:

—¡Insolente! Claro que eres de tu tierra, pero queremos saber el nombre. Ya te vamos a enseñar cómo se respeta a la Guardia Civil...

—Soy vallino, señor, de Calemar...

La Lucinda tiene los ojos más bellos en la súplica. Pero su boca enmudece con un vago temor. Ellos quisieran precisamente que les pidiera algo para acceder y trabar amistad, en fin... El Arturo agrega:

—Nunca hey andao corrido, señores ceviles...

Los dos reclaman un tanto socarronamente:

—¿Tienes tu libreta militar?

—A ver, a ver... Éstos nunca cumplen con la patria.

No es tiempo de conscripción, pero éste es el mejor medio de perder a un chacrero. Sonríen hasta que el Arturo la extrae de lo más profundo de sus bolsillos.

—Sí, señores, siempre hey ido pa los pueblos y mey enscrebido.

Entrega una pequeña libreta amarillenta, de tapas sucias y rotas. Uno de los guardias la examina y apunta el nombre en su carnet para recuperar enseguida su dignidad y decir en tono solemne, devolviéndosela:

—Siga no más...

El Arturo y la Lucinda cruzan entre el grupo de gente que se ha formado a curiosear la posible captura, y se alejan. Él se ha descompuesto y le dice:

—La cosa va con vos... Tuestos son unos gran perros... Los cachaquitos antiguos eran más personas...

El crepúsculo cae lentamente. Los cerros —punzó, violeta y gualda— se han vestido de pallas a fin de bailar la danza vesperal en torno al pueblo, que silencia la pena de ver terminarse el último día de fiesta. Las gentes comienzan a buscar sus posadas poblanas o a tomar los caminejos que han de llevarlos a sus bohíos. Algún "mestro" que se ha entusiasmado mucho, va tañendo la flauta y golpeando el bombo a lo largo de los quebrados senderos —Bombom... bom... bom bom...—; la flauta se aleja plañideramente... a ratos da alaridos... —Bom bom... bom... bom... bom...

La noche aletea con alas de cóndor.

El Roge vuelve a su posada con el cuerpo laxo de los potos que ha bebido toda la tarde con los vallinos que encontró por allí. El Arturo le cuenta la incidencia con los guardias y ambos la comentan indolentemente.

—Si te trayes el mogoso, aciertas...

—Qué padevinar quiandaran puacá esos maldiciaos...

—Siempre güeno, unarma sia hecho pandala...

Se refieren al oxidado revólver que hace tiempo reposa en alforja colgada en un ángulo de la choza del

Arturo. Están en el corredor y son vistos por los guardias, que pasan dirigiendo a la casa miradas inquisitivas. Los hermanos reprimen sus más expresivos juramentos, pues doña Dorotea sale a darles conversación. Ellos le dicen que no llevaron coca porque la vendieron toda anteriormente, que la fruta siempre abunda y que el río..., bueno, el río sigue corriendo... La mesonera ríe y, como le ofrecen llevarle el año entrante lo que quiera, les encarga de manera especial achote y caña fístola, afirmando durante una hora que ésta es buena para tal mal y para tal otro y para todos los males de la tierra en último término.

En la noche van donde doña Rosario. La Lucinda no quiso negarse y doña Dorotea tampoco, aunque el chiquillo se quedó porque estaba durmiendo como "una mera piedra". El Arturo rogó, zalamero y penoso.

—Lúltimo día e fiesta, lultimito ya...

Y ambas asintieron.

Esa doña Rosario, señora muy devota, ha levantado en la pieza más espaciosa de su vivienda el altar de la patrona de Sartín. La Virgen está en un ángulo, ante una hilera de velas, rodeada de flores y rubicundos ángeles de cartón. Hay dos arpas y un violín. Uno de los arpistas canta con voz rajada. El danzante que va a dar la espalda a la Virgen, le hace antes una venia. Poco a poco, la chicha y el cañazo encienden el entusiasmo y la sala se atesta de bailarines. Junto a los muros, sentados en cajones y derrengados bancos, sólo quedan viejos y viejas rugosos y desdentados que ríen y hablan con voz cascada mientras comen mazamorra y beben sonoramente. Los bailarines se cruzan, se entrelazan. Las venias a la Virgen disminuyen cada vez más. Los bailarines se anudan, se topetean, se pierden y vuelven a encontrarse en un acompasado movimiento de caderas y pantorrillas. El Arturo y la Lucinda, fuera del torbellino, permanecen en un rincón bailando muy juntos, rozándose, queriendo ligarse aún más, mezclando sus alientos ardientes de alcohol.

—Enton nos vamos a Calemar...

—Dejuro, pero mi mama hay querer matrimonio...

—Sí, toavía taquiel cura... Mañana nos casamos.

El Arturo, en el colmo de la felicidad, se detiene para gritar el estribillo jaranero: "Echen chicha y aguardiante / que la gente tiene sede". La cholita corre a traerle un vaso repleto y lo escancian ambos, poco a poco, poniendo los labios en el mismo sitio. El Roge tercia:

—Mi mayor, dejuro golvemos tres...

Al Arturo se le ahoga la respuesta, pues en ese momento entran los guardias, fusil al hombro, mirándolo todo con un aire de superioridad y omnipotencia. Las parejas continúan danzando, pero se sienten inspeccionadas y lo hacen sin gusto. "Daña fiesta nomá sonestos", se queja una voz femenina.

Uno de los guardias se acerca al Arturo:

—Préstame tu pareja.

Y de hecho se pone a bailar con la Lucinda, pero lo hace muy mal y todos se ríen en tanto que la cholita, por su parte, se mueve apenas dando a entender que está frente a ese hombre por puro compromiso. El otro guardia se acerca al vallino:

—Te ríes, so perro, te ríes... ¡Anda con cuidado!

Y toma frente a él una actitud de matonería: la pierna adelantada, la mano sobre el revólver. El mozo se aguanta pensando en que se han de ir y todo seguirá como antes, pero quienes se van son los bailarines, sigilosamente, como escondiéndose. Quedan muy pocos y, para peor, son ya los dos guardias quienes insisten en bailar con la Lucinda. Ella mira al Arturo desde un mundo de repulsión y desconsuelo. Los hermanos conversan en un rincón y luego salta el mayor, resueltamente:

—Oigan, señores, no son envitaos y mi pareja va ser mi mujer mañana, de modo que no tienen pa qué fastidiala...

Los guardias, como movidos por un resorte, se juntan y preparan sus fusiles, haciendo traquetear espectacularmente el manubrio. "Ba, güeno pa dar miedo onde los inditos", dice un cholo de gran estatura a la vez que deja de puntear una cashua. Las parejas restantes se detienen también. Doña Rosario es solamente ojos empavorecidos. Los otros cholos comienzan a rezongar sintiendo que, adentro, la chicha les remueve el sentimiento de beligerancia que de ordinario llevan dormido. Cien pupilas brillan como cuchillos frente a los guardias y ellos advierten que es necesario acabar de algún modo.

—¡Fuera de aquí esos dos vallinos insolentes, fuera de aquí!

Y desenvainan los espadines con ánimo de cruzarlos a planazos, pero no hacen más. Los cholos se lanzan sobre ellos desarmándolos entre puñetazos. Es una trifulca en la cual las chinas mezclan sus gritos agudos. Una trompada del Roge hace rodar a uno por el suelo. Allí lo patea hasta dejarlo exánime. El Arturo salta al cuello del otro y ambos caen y ruedan trenzados, revueltos, abofeteándose y mordiéndose. "Dale, hom... dale, hom", incitan los otros cholos blandiendo los puños. El vallino logra desmayarlo de un golpe en la quijada. Luego se acuclilla y lo levanta como a un guiñapo. La cabeza del guardia retumba contra el suelo.

Los dos hermanos y la Lucinda, seguidos de la concurrencia, ganan la puerta y se hunden en la sombra. En la pieza quedan solamente los guardias tendidos largo a largo, tiñendo el suelo con la sangre de sus bocas y narices, frente a la Virgen que mira al cielo con ojos de ruego. Los fusiles, tirados por allí, brillan apenas a la luz titilante de las velas, perdida la fijeza de sus negras pupilas. Doña Rosario grita desde el umbral, moviendo las aspas locas de sus brazos:

—El Gobernador... que vengaaaáa... que vengaaaáa...

Solamente indios llegan hasta la puerta, en la que se detienen, medrosos, viendo los cuerpos rígidos de los guardias. Sus caras cobrizas de angulosos perfiles tienen un fondo de noche rumorosa y negra. Sonríen acaso.

"El Gobernador, que vengaaaáa... que vengaaaáa".

La voz de un bombo llega a decir que el Gobernador está muy ocupado en otra cosa.

Los vallinos y la Lucinda arriban a la casa después de una carrera frenética que atropelló transeúntes e hizo aparecer a las puertas caras curiosas que sólo pudieron ver, entre un tumulto de sombras, tres fugaces manchas albeantes. El diálogo es breve:

—Vámonos aurita...

—Mi mamá no quedrá...

—Vámonos, esperamen lesquina.

La Lucinda hace un movimiento de vacilación. En un instante quiere ir hacia adentro y abrazar a la madre y no soltarla nunca, pero resuena en su interior un mandato potente, una fuerte voz que viene de una soñada lejanía, el profundo llamado de otro mundo... y se encamina rápidamente hacia allá, hacia donde le ordenan el Arturo y la nueva vida.

Mientras el Roge va por los caballos, el hermano acomoda todo para ensillar rápido. Cuando se encuentra metiendo los estribos en los pasadores, sale doña Dorotea.

—¿Se van a dir?

—Sí, pué, hemos peliao con los ceviles.

—¡Ay, cristianitos!... ¡Apurensé que dino los apresan por tiempazos!

Habrá que engrasar esos cueros resecos y tiesos. Un año se demora uno en engarfiar las hebillas.

—Sí, pué, muy fregaos son...

Al fin terminó con eso. Ahora a doblar las caronas, esas grises bayetas sudadas que esparcen un acre olor.

—¿Y la Lucinda?

—Ya vendrá dejuro...

El Roge es quien llega con los potros, que relinchan alegremente presintiendo el retorno. Ensillar y montar es cosa de un segundo.

—Adiós, doña Doro... Güen año y, si Dios quiere, hasta lotro...

—Dios se lo pague la posadita...

Parten al galope, pero se detienen violentamente en la esquina. ¿Por qué? Doña Dorotea atisba. Los caballos caracolean, nerviosos. ¿Es una mujer la que ha sido levantada sobre uno de ellos? Lo comprende todo de golpe y corre hacia el grupo gritando chillona y dolorosamente:

—Lucindaaaáa... Lucinditaaaáa...

Su voz es ahogada por el estrépito del tropel furioso.

Es un largo callejón. Pencas, tunas, magueyes, casas, perros que ladran, todo va quedando atrás velozmente, envuelto en la sombra. El Arturo lleva a su china sobre la cabezada de la montura, y ella lleva al galope su corazón. Antes de iniciar la cuesta, las riendas plantan en seco. La respiración jadeante de los potros acompaña a un latido angustioso.

El Arturo ríe:

—¿Tias asustao? —y luego al hermano—: ¿Ondestán los caballos e los ceviles?

—Enel corral e lao abajo.

—Corre, sueltalós...

El Rogé mete su caballo por la pendiente y se pierde en la noche. Se oye rechinar una tranquera y luego un relincho de caballos que galopan. Al rato vuelve y comienzan a vencer la dura cuesta. Los potros suben voluntariosamente haciendo chispear las piedras a lo largo de los repetidos quengos. De trecho en trecho se tambalean las casuchas de los indios y algunos, sentados a la puerta, tañen sus antaras. La música sigue porfiadamente a la cabalgata. La Lucinda se acongoja recordando a la madre, al hermano, a la casa de todos los días. Junto a ésta se alzaba la casucha de un indio que tocaba la antara. Solloza en la imposibilidad de volver. Ahora estarán ellos —la madre y el pequeño hermano— llorando también. Ahora estarán solos y tristes. ¿Por qué no regresar? Está cerca todavía. Y las antaras continúan sonando y diciendo que está cerca todavía. Sus lágrimas ruedan y van a caer a las manos del Arturo, que la tiene cogida por la cintura.

—¿Tas llorando?

—¡Mi mama, mi hermanito!

Él responde casi brutalmente:

—Qué vamos hacelo... aura yes tarde...

Es la voz del río, imperiosa e incontrastable. La de las antaras se distingue apenas. La Lucinda sólo escucha aquella voz y se entrega, rendida, a la corriente.

Al filo de la cuesta desmontan para ajustar las cinchas y mirar el camino. Se desdobla hacia abajo silenciosamente. Aguzando el oído no se escucha ni el más leve rumor de pisadas. Sí, nadie viene por él. Y el pueblo se acurruca en el fondo, evidenciado por cien luces que se derraman en la hoyada. Un castillo ha sido prendido en la plaza y refulge esplendorosamente. La distancia hace opaco el sonido de las bombardas.

—Hasta más ver —dice el Arturo.

Cabalgan y toman alegremente la bajada. Ahora se inicia el descenso al Marañón, a Calemar. Hasta el chasquido de los cascos es jubiloso. La Lucinda se calma, sintiendo una placidez extraña. Quiere hablar, pero no se le ocurre nada y sólo atina a ceñirse contra su hombre, a abrazarlo con todas sus fuerzas.

La noche es obscura y las riendas son abandonadas a los potros, que conocen el camino mejor. La china piensa que la cuesta debe ser muy pronunciada, pues resbalan a cada rato haciendo rodar los guijarros.

—Hasta que pesquen sus bestias pasará horas...

—Sólo que haigan muerto los maldiciaos...

—Nuay ser, la malayerba vive nomá...

—Entón, que nos alcancen, pué...

—Ajá.

Los hermanos ríen mientras unas ramas han comenzado a chicotearles las caras. El Arturo aconseja a su china:

—Cuidao, cierra los ojos y agachaté...

Es sin duda una región boscosa. Las ramas arañan los sombreros. Se oye un rumor de agua y un ininterrumpido canto de grillos y cigarras. Descender... descender... El agua habla ya cercanamente con una voz que se aleja hacia abajo.

—¿Es el Marañón? —pregunta la inquietud de la Lucinda.

—No, una quebrada nomá, que baja... El río queda lejos...

Los caballos chapotean en el agua, que beben un momento, y luego hacen sonar guijarros otra vez. Pero la voz del agua queda a un lado, junto a los quengos del camino. Hay altos escalones que los potros salvan

43

tanteando, husmeando, oliendo casi. Con la cabeza pegada al suelo inspeccionan la ruta y bajan lentamente. Descender..., descender... A cada escalón la Lucinda se estremece. Descender..., descender... Todo va hacia el fondo de la encañada. La quebrada y el camino, los hombres y los animales van hacia abajo a encontrar el Marañón, a dar a él mismo. Horas y horas. La Lucinda siente el descenso como un rendimiento, como una voluptuosa caída.

Los cholos se han silenciado. Sólo se oye el chasquido de las pisadas y el rumor del agua en medio del hundimiento progresivo entre las sombras, hacia el río. Una boca que no succiona, cálida y dura, se pega de rato en rato al cuello de la Lucinda. Ella se ajusta tiritando contra su hombre. Es una negra hondura. Una abismal profundidad de vértigo...

Ahora los cascos pisan silenciosamente en tierra blanda y al parecer húmeda. El aire está lleno del olor de las flores del chirimoyo.

—Esel vallecito e la quebrada...

—Ya, hom...

Los caballos apuran el paso. Una hora más y estarán a la orilla del Marañón, frente a Shicún. El día va a llegar, pues una claridad tenue se diluye entre el follaje y los pájaros comienzan a inquietarse en las copas de los árboles. El camino se asoma a una prominencia que hace ver, al frente y hacia arriba, una gran mancha negra sobre un fondo plomizo. La Lucinda mira con los ojos muy abiertos en medio de un sobrecogido silencio.

—Son las peñas —explica el Arturo—; de parte jonda se ven así de noche. Un ratito más yestamos llegando...

Puede verse ya la faja blanca del camino y los caballos galopan fácilmente doblando los quengos una y otra vez, incansables. A la vera, los pates y los arabiscos retuercen sus brazos. Súbitamente, un rumor hondo e interminable.

—¡Es el Marañón!

La Lucinda siente como si los oídos se le hubieran llenado de espuma. El día viene rápidamente. Una mancha amarilla se extiende hacia bajo desde el filo de los cerros; pero la claridad llena ya la encañada mostrando las flores moradas de los arabiscos, las peñas rojas, la tierra amarilla que bordea un camino lleno de guijarros y polvo blancuzco. El caballo del Arturo se detiene y relincha. El del Roge lo imita. Ahí está el Marañón.

Entre el follaje de los árboles que se equilibran en la pendiente, abrazados como para sostenerse, se ve azulear el río veraniego. Las aguas corren formando pequeños tumbos y levantando espuma blanca junto a las piedras de la orilla. Las espuelas, alegres, incitan a los potros que, después de media hora de galope entre casuchas y cañaverales, se plantan a la orilla misma del río. Este lado es Santa Filomena. El otro es Shicún.

Desmontan y los hermanos se ponen a aflojar las cinchas, en tanto que la Lucinda se sienta sobre una gran piedra cárdena a la sombra de un gualango y no se cansa de mirar el río amplio y profundo. Sí, éste es el río, éstos los valles. Contra el cielo, los rojos peñascos recortan sus buidas aristas y el cielo es azul. El valle de Shicún, allá al fondo, tiene un verdor intenso. La luz matinal tira sobre la arena de las playas dos franjas de oro y el río asoma, muy arriba, volteando un recodo, y se pierde lejos, lejos, tras otro, extendiendo en toda su anchura una superficie ondulada y azul que se orla de blanco en las riberas...

El calor laxa sus miembros, pero el enervamiento no llega a sus ojos —muy vivos, muy abiertos—, en donde se extasía un alma recogida y tremante.

Los hermanos gritan pidiendo la balsa y se ponen a desensillar los caballos, que después entran al río y lo cruzan nadando fácilmente.

A la orilla del frente asoman dos hombres que suben a una armazón de tallos y se ponen a blandir anchos maderos. La Lucinda mira sin preguntar, conociendo por ella misma. Ésa es la balsa, ésas las palas, ésos los balseros. El Arturo también es balsero. ¡Cómo se han doblado en tres y cómo hunden las palas! Y ya se acercan, ya están aquí. Con dos jalones potentes han terminado por llegar deslizándose gallardamente.

Tiran una soga que el Roge empuña y saltan a tierra en medio de jubilosos saludos. Luego todos suben a la balsa, en la que acomodan previamente las monturas y alforjas, y el Arturo, por puro gusto, coge una pala. Estremece las aguas y las convierte en espuma a cada golpe, haciendo que la embarcación avance briosamente, cortando los tumbos. La Lucinda lo mira absorta, como lo soñó. Así, pasando el río, bogando reciamente. Así, sobre el Marañón, el bello, el torrentoso, el fuerte. El Arturo es como el río o el río es como el Arturo. Ambos son grandes y por eso luchan.

En la casa de Venancio Landauro, uno de los cholos que fue con la balsa, toman algo. El amigo les sirve yucas con ají y cecinas.

—Carne fresca nuay... Se daño miescopeta, hom...

—No le hace, ya nos vamos ya...

—Quédense más bien —reclama Landauro, cordial.

Los hermanos ríen, no así la Lucinda que no oye lo que dicen, pues está absorta en la admiración de la huerta que se extiende frente a la casa, toda ella sembrada de coca que crece bajo paltos de frutos lustrosos, mangos de ramaje tupido y naranjos albos de flores que penetran el ambiente con su intensa fragancia.

—Sabes —explica el Arturo— que nos vamos de juída.

Cuentan su enredo con los guardias y Landauro se echa a reír también.

—Si vienen, tiaces el sordo. Aunque se maten gritando, ni tiasomas.

—Sordo, sordo más quiuna pirca —asegura Landauro.

Montaron de nuevo y salieron pronto de Shicún, deteniéndose solamente para mirar el trapiche instalado por don Agustín, dueño de la mayor parte del valle, que está accionado por una maravillosa rueda de fierro, la cual se llena de agua y se vacía y se vuelve a llenar y por eso mismo da vueltas. El trapiche es también muy lindo y sus tres cilindros de fierro relucen girando sin cansarse para hacer bagazo todos esos cañaverales que ondulan al viento como lagunas verdes y amarillas.

Con el anochecer cayeron a Calemar. Encontraron a

los viejos comiendo junto a su fogoncito. Primero se extrañaron, pero luego los ganó la emoción y la vieja Melcha lloró metiendo la faz rugosa entre los turgentes senos trémulos de la Lucinda. Su hija, su hija había de ser.

Todo no fue derecho porque la vida, como el río, tiene siempre recodos y pasos difíciles. Una vez llegaron varios guardias a llevarse a los hermanos, pero apenas entraron al valle, también por el lado de Shicún, fueron vistos. Los dos y la Lucinda se escondieron en un carrizal y los viejos dijeron que ya vivían en las alturas, por allí por Bambamarca, más allá quién sabe. En el resto del valle tampoco supieron dar razón:

—Nuay, se jueron hace tiempazo —decían.

Y aunque el Teniente Gobernador afirmó lo mismo, los guardias se marcharon después de buscar tres días, inclusive en el carrizal. Cuando quisieron incendiarlo, todos rogaron que no lo hicieran alegando que no habría como quinchar las casas, pues las varas derechas no abundan. Al cambiarse el retén de Huamachuco, la zozobra respecto a los guardias acabó. Sólo que la Lucinda comenzó a tiritar con las tercianas y los cocidos de yerba de la vieja Melcha de nada valieron. El Arturo tuvo que ir a Huamachuco por quinina. Para peor, la china abortaba todo el tiempo y a dos bultitos sanguinolentos fue a dejar al taita al panteón. Con pena cavaba quejándose de la suerte y ni siquiera ponía cruz. Cuando llegó la fiesta de la Virgen del Perpetuo Socorro de Calemar, se casaron para estar en gracia de Dios. La Lucinda sanó al poco tiempo y después nació el Adán. Dicen que todo es milagro de la Virgen.

Así es como la Lucinda se halla en Calemar. Ésta es la historia. "¿Y la de la Florinda?", preguntarán. Yo solamente quiero decirles que 'la buenamoza Lucinda hace buen juego con la Florinda, y la Hormecinda, y la Orfelinda, y la Hermelinda, y todas las chinas que han nacido aquí. Son cotejas. Por ellas, llegado el caso, haríamos lo que el Arturo por la suya.

Sus bellos nombres nos endulzan la boca. Ellas mismas nos endulzan la vida. Son como la coca. Las queremos mucho los cristianos de estos valles.

IV

ANDE, SELVA Y RÍO

Don Osvaldo Martínez de Calderón subió por el camino aquel "unos ratos a pie y otros andando" porque el caballo, con sus grandes y pesados cascos, resbalaba a cada rato en el filo mismo de las peñas. El buen zaino jadeaba suspirando la nostalgia de su ancha llanura costeña. El cansancio de don Osvaldo iba por delante, haciéndolo una curva y contando los quengos.

Al fin unos álamos hicieron asomar sus copas a una loma y hombre y animal se detuvieron para dar sosiego al corazón y tomar el camino descansadamente. La cuesta había sido dura. Siempre rocas y guijarros en la delgada cinta del sendero y, a un lado y otro, cactos y patas de gallo de espinas prontas a herir. Los arabiscos se acabaron al salir del calor de la encañada y ya no hubo sombra de altos árboles. Los arbustos se aplastaban contra el suelo sin más tarea que la de extender sus zarpas contra los caminantes, de modo que un sol rabioso los chamuscó durante toda la cuesta.

Don Osvaldo montó y al poco rato estuvo al pie de los dulces álamos y, siguiendo su alineamiento por un arcilloso camino, distinguió un techo de tejas rojas sostenido por gruesos pilares de madera que resaltaban nítidamente sobre blancas paredes. A un corredor de pretil pétreo se asomó primeramente un indio y luego un anciano de poblada barba. Era don Juan Plaza, el hacendado de Marcapata. Amarilleaba un sombrero de palma sobre su cabeza y le cubría el cuerpo un poncho habano claro, que sólo dejaba ver las negras y opacas botas.

—Apéese, señor, apéese... —invitó el viejo apenas el viajero se hubo acercado. Don Juan tenía para los forasteros una cordialidad ancha y firme como la casona a cuyo corredor desmontó don Osvaldo. Éste se alegró viendo una cara blanca y sintiendo una mano fina, pero su contento fue mayor al escuchar, aunque con el acento de la región, un castellano claro y suelto. Era el reencuentro del mundo dejado allá abajo, hacia el sur, muy lejos...

Sus ojos pudieron ver luego la naturaleza amable que rodeaba a la hacienda y descansaron en su manso sabor bucólico. Los trigales de un verde tierno se extendían aquí y allá, junto a las chocitas de los indios ante las cuales los magueyes levantaban su desnuda y silenciosa esbeltez. Vaquillas blanquinegras y bayas merodeaban junto a las pencas azules de los cercos y más arriba, por las pendientes grises de los cerros, los rebaños derramaban sus motas blancas, arreados por pequeños perros de agudo ladrido. Yendo y viniendo por los caminejos amarillos, los indios anticipaban el crepúsculo con sus polleras granates y sus ponchos multicolores.

El anciano presentó a su familia —mujer, hijos y una nube de parientes— y luego pasaron al comedor, sentándose en gruesas sillas de madera ante una mesa muy pulida. Era un cuarto enorme que hacía eco a las palabras con sus desnudos muros blancos. Leche fresca y pan moreno se sirvió el mozo ante el anciano, que charlaba de esto y aquello, y un perrito lanudo que lo miraba dulcemente.

—Créame que es un placer para mí. Estas soledades lo son tanto, que el encuentro con un ser civilizado, por raro, me hace el efecto de una revelación. Sí, mi señor don Osvaldo... sí, mi señor...

—Igual que a mí, don Juan. Esos cholos de Calemar son atentos, pero no hablan sino de lo suyo. Uno jamás podría conversar mano a mano con ellos: no nos entenderíamos...

El ingeniero da trozos de pan húmedos de leche al perrillo y luego ha de responder a todas las preguntas del dueño. ¿Y Lima? ¿Y la política? ¿Y el gobierno? ¿Habrá revolución? El joven no puede explicarse satisfactoriamente porque ignora tales cubileteos. Acaso podría dar una larga charla sobre Joan Crawford y Clark Gable, pero entiende que don Juan se halla muy lejos del asunto. Se hace lenguas de la nueva avenida y del Parque de la Reserva y termina por manifestar que él ha huido de la molicie capitalina y se encuentra por esos mundos en tren de explorador.

—Conque a explorar la región, ¿no? Entonces necesita usted guías —dice solícitamente el viejo.

—Sí, claro.

El anciano hizo sonar un silbato de carrizo y poco después un joven indio llegó. Era el pongo. Demostraba gran atención y parecía que más bien veía que oía las palabras. Su indumentaria se reducía a camisa, calzón y ojotas. El cabello cortado al rape mostraba un cráneo oblongo. En la yerta cara cetrina, gruesos labios se inmovilizaban bajo una nariz encorvada entre pómulos salientes. Solamente los ojos grises tenían vida y esa vida iba hacia el patrón, atenta, solícita, inclinada, rendida...

—Anda donde el Santos y dile que venga mañana a ponerse a las órdenes del señor que ha llegado.

—Sí, taita.

El indio desapareció evidenciando un paso ligero con el repetido choclear de sus ojotas.

—Le presto al Santos sólo unos días porque ahora estamos en los cultivos y lo necesito —aclaró el viejo.

Por la ancha puerta entraba el crepúsculo. Tornóse violeta la alba pared de cal y en los rincones las sombras comenzaron a apretujarse.

El viejo hablaba despaciosamente, con la experiencia de un número de años que únicamente él sabía. El mozo replicaba en forma parca, pero rotunda, ante la obstinada preocupación de su interlocutor para que tomara en cuenta sus asertos.

Se anudó una charla amena. Don Juan conocía la vida de la región a través de la suya, luenga y trabajada, y se remontaba al pasado con las propias palabras de sus antecesores. En las agrestes soledades puneñas la palabra rueda de boca en boca y cada relato pasa de los padres a los hijos y a los hijos de los hijos hasta nunca acabar. Cuando los hombres de la serranía abren sus bocas, aparecen jirones irrevelados de épocas lontanas con toda su frescura y su propio sabor. El relato es cifra, letra, página y libro. Pero libro animado y vivo. Ni qué decir entonces de las cosas que don Juan tenía, según su propia expresión, al alcance de la mano y de las que podía dar razón con pelos y señales.

—Ah, señor —argüía el anciano—, estas tierras son duras. Usted es nuevo aquí y tiene que andar con mucho ojo.

La pared tomó jaspes azulencos y finalmente negros. Fue preciso encender la lámpara a querosén que estaba en el centro de la mesa. Una claridad mortecina surgió en la estancia, untando los maderos pulidos y haciendo brillar el hocico del perrillo. Las sombras inmovilizaron su negrura en los ángulos. El techo barnizado de humo era también como ellas, sólo que en éste, proyectado por el tubo, se dibujaba un firme círculo de luz.

—Sí, cómo no —replicaba el ingeniero—, pero usted sabe que la ciencia domina todo.

—Desde luego, claro que sí. Pero el hombre ha de ser prevenido y baqueano por estos lugares —insistía el viejo encendiendo su cigarro en el tubo de la lámpara. Pitaba despacio y seguía con su cantinela:— Hay que andar con cuidado, mi señor...

—Sí, mas todo es cuestión de utilizar métodos científicos.

El viento entra súbitamente como un potro de ímpetu desbocado y crines sueltas. Don Juan se levanta a cerrar la puerta, golpea las hojas vetustas y retorna.

—Naturalmente, señor, comprendo. Yo hice mis estudios en el Colegio de Huamachuco, pero no vale siempre la ciencia. He visto llegar por acá jóvenes como usted, con mucha ilusión en el alma, pero que se volvieron a su Lima al poco tiempo, con las nalgas llagadas y el cuerpo cocinado por la erisipela y el viento de la puna. Hechos unos desastres ambulantes, mi señor. Otros han muerto. Los que fueron más allá, los que se arriesgaron, murieron, señor...

—¡Murieron! —se alarma don Osvaldo. Y luego, recobrando su audaz calma de hombre preparado a todo evento:

—Pero yo no moriré, siento que he de triunfar y tengo que triunfar...

—Murieron, señor, como usted lo oye. En fin, le contaré...

El viejo se recuesta en su silla. La barba alba y luenga tiene reminiscencias bíblicas. Sombreados irregularmente por hirsutas cejas, brillan dos ojos de una profundidad abismal. El ingeniero retira su silla, cruzando las piernas y desabrochándose el cuello. Los minutos transcurren en una recopilación de recuerdos. En el amplio comedor pesa el silencio.

—Ande, selva y río son cosas duras, señor. Hace algunos años pasaron por acá tres exploradores. El uno era peruano, Alejandro Lezcano, y los otros polacos. Iban armados de wínchesters, revólveres, planos, mapas, brújulas, conservas y todo un cargamento de baratijas, pues su objeto era explorar las selvas del Huayabamba, río que, como usted sabrá, nace en estos lados y va a desembocar al Huallaga. El joven Lezcano prestaba grandes esperanzas, pues se había educado en Estados Unidos. Terminados sus estudios, volvió al país natal y estaba en Cajabamba, a donde había ido a dar un abrazo a su familia. Pero la suerte se eslabona como una cadena de acero a la cual no se puede romper: en eso llegaron los gringos. Primero se hicieron amigos por lo del inglés y luego porque Lezcano era muy digno, científicamente, de alternar con ellos. Le hablaron y quedó resuelto que los acompañaría, participando de las penurias de la expedición primero y luego de los beneficios.

—¿Qué beneficios?

—¡Uf!, señor. Si tenían concesión de la hoya del Huayabamba, una de las más ricas y que se encuentra casi virgen de la planta del civilizado. Hace años, mu-

chos años, había un camino, pero después cesó el trá-
fico y la selva lo llenó enteramente. Eran los tiempos
en que se comerciaba con Pajatén, Pachiza, Uchiza y
todos esos pueblos y también con los indios hibitos y
cholones. Pero los indios comenzaron a matar cristianos. El pueblo de Pajatén desapareció, ya sea porque
los indios lo arruinaron o solamente por miedo a ellos.
Y figúrese usted que los tales salvajes llegaron, según
contaban mis abuelos, a dejar sus selvas y a incursio-
nar en los pueblos de esta provincia. Así arrasaron
Contumarca y Collaí, matando a los hombres y llorán-
dose a las mujeres. Cosa fiera, señor... Bueno: para
peor, una crecida se llevó el puente que existía sobre
uno de los afluentes del Huayabamba, todavía no na-
vegable, de modo que hay que ir a pie hasta encontrar el río practicable. Uno de mis parientes tuvo la
desgracia de estar por allí en esa situación. Venía con
cargamento de sombreros y toda clase de yerbas de
montaña, cuando encontró que el puente no existía. Esperando que bajara el río pasó muchos días y se le acabaron los víveres. Los indios cargueros que traía se le
fueron y se quedó solo en medio de la selva y bajo una
lluvia que no tenía cuando parar. Gracias a Dios que
los indios no lo mataron. Una alforja de maíz crudo
tenía por todo tener y así había de comerlo porque la
lluvia no le dejaba encender candela. Y aunque hubiera escampado, ¿cómo encender nada cuando los le-
ños chorrean agua? Yo también he estado por allí y sé
lo que son esas cosas, mi señor... A lo que iba: mi
pariente pensó en su hacha y en un alto árbol que se
levantaba ante él. Era tan grande que no se le veía
la punta y comenzó a cortarlo de un lado, del lado del
río, para que cayera sobre él y sirviera de puente.
Días enteros se pasó cortando el árbol y comiendo su
maíz bajo la lluvia terca. Al fin el árbol comenzó a
gemir y después se desplomó con gran estruendo. Éste
se prolongó como una hora: parecía que toda la selva
se venía abajo:

—¿Una ilusión o el eco? —interrumpe el ingeniero.

—Nada de eso, señor. El palo era tan grande que alcanzó la ribera del frente y tundió los árboles. Un palo

54

derriba a otro en la selva y así la caída se prolonga por kilómetros, dejando un surco en la espesura. La cosa no para sino cuando hay un claro en el bosque, o un río, o un árbol demasiado grande y enraizado. Ha habido caseríos y chozas de salvajes que han sido aplastados y ni qué decir que mueren también los animales, las fieras, hasta los maromeros monos...

—¿Pero a su pariente lo va a dejar usted en la selva? —chacotea el joven.

—¡Qué ocurrencia! No le llegó su hora todavía. Mi pariente pasó por el gigantesco tallo, pero ya no tenía qué comer. Siguió por esas sendas de infierno como pudo, procurando no perder la trocha, y luego escaló las pendientes por donde los caminos son sólo nombre, prendiéndose de las raíces, de los pedrones y las matas, hasta que al fin llegó a las alturas con los vestidos hechos un andrajo, el calzado en pedazos y las manos desolladas. Ya no pudo andar más y por allí se cayó. Unos repunteros lo recogieron y llevaron a su choza, pero la comida le daba náuseas. Así pasó muchos días. A todo esto, había dejado su cargamento y cuando sanó fue con otros a traerlo. No encontró sino un desastre: las fieras habían rasgado los bultos y hecho todo pedazos...

—¿Y Lezcano y los otros? —pregunta el ingeniero, ajustándose las sienes y evocando sus lecturas de Kipling. No creía que sucedieran esas cosas en el Perú, por aquí no más, al voltear los cerros, en fin...

—A eso iba, señor. Esos señores tomaron guías de estos lugares, gente que había ido en otro tiempo y conocía bien. Entraron así a la selva, confiados y animosos, porque era el tiempo que "no llovía". Pero en la selva llueve —intensidad más, intensidad menos— catorce meses al año. Encontraron todavía el árbol por el que pasó mi pariente, ya muy carcomido por el tiempo, volviendo a la gleba de la que salió. Un ejército de hormigas rojas que iban y venían lo tenía también de puente. Luego se vieron en pleno corazón del bosque, entre el fango y entre una espesura que no dejaba ver el sol ni permitía orientarse y ni siquiera andar. Los guías valían más que las brújulas y ellos iban por delante, machete en mano, abriendo trocha. La lluvia caía a torrentes y de nada valían los árboles más frondosos contra ella. ¿Se imagina usted?

—Claro, una situación difícil...

—Sí, pero una cosa es imaginarla y otra es sentirla. Hay que estar entre fieras, insectos y reptiles y bajo una lluvia perenne para comprender la infinita tortura de los días. Pero nada es tan tremendo como la selva misma, como la vegetación en sí. Siempre ante los ojos troncos añosos, ramas, bejucos, en una confusión tormentosa, en un entrevero inextricable, deteniendo y enredando al hombre, haciéndolo caer, aprisionándolo... Así las cosas, un día llegaron al borde de un río que era ya probablemente el Huayabamba.

—¿Pero por qué no fueron por las playas del afluente? —arguye la lógica del ingeniero.

—Señor, si los ríos pequeños casi no tienen playa. La selva se levanta desde sus bordes y siempre hay malos pasos y bajadas y subidas entre las rocas que se encuentran de trecho en trecho, de modo que es casi lo mismo y a veces peor que ir por el riñón del monte. Pero allí, al lado del río, encontraron una casucha de las que levantan los salvajes para acampar, con señales frescas de fuego. Los guías se espantaron, pues los hibitos ya debían andar por allí. Pese a todo, se internaron al otro día en busca de palos para hacer una embarcación y, llegado el momento, se detuvieron a almorzar sus conservas. Un guía dijo que cerca corría un riachuelo y que ése era el sitio del pueblo de Pajatén. Nada quedaba del tal pueblo. La selva se había enseñoreado ya y los árboles y las lianas formaban un conglomerado sombrío en el lugar donde antes se alzaban las casas de los pobladores. Los expedicionarios se pusieron alegres, diciendo que hasta la desembocadura en el Huallaga no quedaban sino veinticinco leguas que harían fácilmente en balsa, y en eso escucharon un rumor de hojas pisadas y distinguieron entre la espesura a un hibito que cazaba con cerbatana. Soplaba el indio su tubo y los virotes salían con una velocidad que no permitía ver sino un surco obscuro en el aire. El infiel se alejó en el monte al parecer persiguiendo los pájaros, sin dar muestra de haberse apercibido de los extraños. Tenía la cara teñida de achote y vestía de azul, pues el tocuyo que cambian a los negociantes que remontan el Huallaga lo tiñen siempre de ese color.

—¿Pero iba a regresar con otros? —inquiere el ingeniero viendo que don Juan no termina la historia del hibito.

—Probablemente, señor. Son indios bravos y quien no los conoce que los compre. Ellos y los cholones andan a matarse y cuando encuentran un blanco desprevenido lo matan también, y aunque no esté desprevenido, si es que tiene algo que robarle. Son ociosos como no hay otros, de mal genio y les gusta emborracharse siempre con esa porquería del masato.

—¿Verdad que interviene la saliva?

—Sí, señor. Para hacer el masato se masca la yuca y luego se la arroja a recipientes de madera, donde fermenta con el agua suficiente. Eso es el masato. Bueno, ¿pero creerá usted que yo lo he bebido y bebido con gusto?

—¡No me diga!

—Sí, mi señor. Ahora digo *porquería*, pero hubo vez, y luego muchas veces, que no me pareció así. La primera fue cuando volvía remontando el Huallaga. A la ida uno va en la canoa, pues los infieles son muy buenos para salvar los pongos y rápidos. Pero a la vuelta, la canoa no los puede remontar de manera que hay que sacarla a tierra en esos sitios y andar con ella a cuestas. Un día nos hallábamos echando los bofes, canoa al hombro, entre un infierno de piedras y lianas. Yo estaba agotado de cansancio y no podía andar. Entonces un indio me ofreció su poro de masato y yo bebí, bebí... No me pareció sucio ni repugnante. Era dulce y reconfortaba. Bebí, bebí... señor, y en la selva lo usé siempre desde aquella vez. Ahora lo recuerdo y me río de mis melindres...

El ingeniero no interroga y el viejo se silencia un momento. Piensan ambos que, en medio de la naturaleza primitiva y salvaje, el hombre se vuelve como ella, insensiblemente, y acaso llega el momento en que hasta la carroña es buena para prolongar la existencia que se debate en medio de una lucha que no admite regateos ni evasivas.

—Bueno, señor —prosigue el anciano—, los guías ya no quisieron permanecer en la selva. Por otra parte, estaban aburridos de ser carne de murciélagos. Abundan tantos y son tan voraces que llegan a atacar hasta a los hombres, especialmente en las noches sin luna. Cuando ésta sale, se duerme en un sitio donde llegue la luz y los vampiros no acuden. Pero la sombra es su aliada y la sombra nunca falta en la selva. Al despertar de esas noches lóbregas, ellos tenían que contar hasta dos y tres heridas en el cuello y los pies. Los bichos ensangrientan hasta a los pájaros del monte y las gallinas que crían los infieles...

El ingeniero apunta con toda su devoción de antiguo alumno del Colegio de la Recoleta de Lima:

—¡Infieles!, hace rato que me habla de infieles, ¿así es que no creen en Dios?

—Quién sabe, señor... Ellos creen que Dios es el árbol más alto o el río más grande y tienen sus ritos y sus brujos que los adoctrinan. Si se hacen cristianos es por el interés. En tiempos pasados iban frailes misioneros que obsequiaban a los indios con el objeto de atraérselos, porque las prédicas —más todavía teniendo que emplear intérprete— no daban resultado. Les parece muy embrollado lo de los misterios de la virginidad de María o de la Santísima Trinidad y menos pueden aceptar eso de que un hombre se deje matar para salvar a los otros. Un hibito recibió un cuchillo, un espejo y varias cuentas de vidrio por haber dejado bautizar a su hijo... Bien: al día siguiente volvió con el muchacho para que lo bautizaran otra vez...

—Pero no termina usted nunca con su historia de los exploradores, don Juan —bromea el ingeniero.

—Pero si usted tampoco acaba nunca de interrogar y hacer apartes. Usted pide aclaraciones más que oraciones las ánimas benditas... Bueno, voy a terminar, espere usted. Pese a todas las ofertas de los expedicionarios, los guías se volvieron a contar la historia, dejándolos entre sus wínchesters, sus revólveres, sus mapas, sus planos, sus conservas, sus brújulas y sus chu-cherías...

—¿Y?...

—Y no se supo de ellos nunca. No llegaron al otro lado, allí a los pueblos donde hay blancos, ni a éste aparecieron más. Es la selva, mi señor...

El joven ingeniero se digna pensar las cosas realmente y se queda un largo rato silencioso. Don Juan lo contempla desde su experimentada ancianidad y no se sorprende cuando le oye afirmar:

—Bien, bien, les faltó sistema...

—Todo lo que usted quiera, señor. Pero en estos lugares hay que saber lo que ellos mismos enseñan. ¿Quién lo salva a usted de una víbora o de un golpe certero de cerbatana? ¿Quién de la selva laberíntica, de la correntada voraz o del abismo que se abre ante sus pies y lo marea para que en él caiga?

—Ya verá usted, mi don Juan, que yo hago por acá algo bueno y grande.

Don Juan —gallo viejo— quiere matar con el ala y pregunta como si no le preocupara:

—Bueno, ¿qué es lo que piensa usted hacer a todo esto?

—Lo de la selva y la hoya del Huayabamba me ha despertado curiosidad y acaso efectivo interés... Quizá ampare minas que dicen que hay por estos lados... En fin, será cuestión de ver.

—Ya ve, amigo, que hasta ahora está usted indeciso. Ya le oiré después un cuento. Suba al cerro Campana, amigo, que de allí verá usted todo esto. Es bueno por lo menos ver... después explore lo que quiera, pero ande con tiento. ¿Piensa ir a Bambamarca? Bueno: diga apenas llegue que se encuentra usted enfermo...

—¿Se ríe de mí, don Juan?

—Le aseguro que no. Esos indios bambamarquinos son muy quisquillosos y cualquier cosa la interpretan como menosprecio. Lo agasajarán y hospedarán a usted el Alcalde o el Gobernador porque, eso sí, son hospitalarios. Bien: le sirven a usted una gran lapa de papas y un gran mate de cushal, o sea sopa, y otro de ocas. Tiene usted que terminar con todo, porque si no lo hace así, no le dan de comer más. No conciben una persona con otra hambre que la que ellos tienen y piensan que, si usted deja un poco de la comida, lo hace por desairarlos... Así es que, de primera intención, pide que le hagan agua de toronjil o azahares que siempre llevan de Calemar y jura que padece del estómago como el que más. En este caso, si usted come poco, las relaciones no se interrumpen...

El ingeniero ríe con toda su civilización y su gramática parda. Ya le habían dicho que esos indios son unos estúpidos, pero también llegarán buenos tiempos para ellos.

—Crea usted, mi don Juan, que con la empresa que traigo, por aquí variarán hasta las costumbres. Otra cosa que me revienta es que coqueen. Que fumen, pero que no coqueen. Esa rama los tiene embotados y adormecidos. Creo que buena parte de la psicología indígena y mestiza se debe a ella. Años y años enervándose así...

—Sin duda, señor. Mire: yo le aconsejaría el río, el Marañón. ¿Por qué no lava oro? Eso es un emporio de riqueza, de metal tirado... Ya soy viejo, que de lo contrario estaría por allí lavando, pero el clima y los mil bichos darían ahora cuenta de mí...

—Ya verá lo que resulta, don Juan, hará época...

Una vieja india de piel terrosa entra a la pieza con el viento. Parece un retazo de sombra bajo sus negras vestiduras. Con el añoso cuerpo encorvado, las manos juntas y la vista en el suelo, anuncia que la comida está lista en un tono de voz indefinible. Luego vuelve a la noche.

—Yo tendría mucho gusto... sí, mucho gusto... Pero ande, selva y río son cosas duras, señor.

Con la picazón de la selva adentro, el ingeniero parte hacia las cumbres apenas revienta el nuevo día. Ha de ir hasta la cima de aquel cerro que difícilmente se distingue entre un retaceado rebozo de nubes, para contemplar la región y trazar sus planes. ¿Minas, selvas?

En medio de esta brava y pródiga naturaleza tiene que implantarse una compañía potente que la domeñe y civilice, que haga caminos e instale maquinarias para explotar maderas, minas, frutas, lavaderos, y todo lo que se encuentra tirado ante la mano del hombre, quien no se digna siquiera extenderla.

El guía es un indio prieto y anguloso como las montañas, que marcha con paso invariable delante del zaino que monta el ingeniero. Éste quiere armarle conversación, pero él se limita a responder parcamente, dale y dale al checo calero, masca y masca la coca buena. El visitante va haciendo "inteligentes" deducciones y apunta el hecho de que el hombre ritma con la naturaleza y así en el valle es conversador como el río y los árboles y en la puna se enmudece como ella a medida que asciende. Se cruzan con un bambamarquino que baja arreando un par de asnos peludos.

—¿De dónde vienes?

—Bambamarca, taita.

—¿Vas al Marañón?

—Sí, taita.

—¿A traer coca y plátanos?

—Sí, taita.

—¿Lloverá hoy?

El indio contempla el cielo volviendo la cabeza a todos lados.

—Nuay ser, taita.

El ingeniero espolea su zaino y alcanza al guía que se ha adelantado, pensando si conseguirá que hable un poco más.

—¿Por qué no hablan los bambamarquinos?

—Asies su ser, taita.

—¿Y tú?

—Tamién, pué, taita.

El indio de la hacienda guarda el secreto al de la comunidad y el suyo propio. Sabe bien que todos hablan, larga y entretenidamente, pero no con los blancos. Apenas ven un rostro claro o una indumentaria diferente a la suya, sellan sus labios y no los abren sino para contestar lo necesario. Solamente sus corros fraternos formados en familia a la puerta de las chozas o comunitariamente al borde de las eras o las chacras, escuchan las disertaciones sobre las incidencias de la vida diaria y las bellas consejas. Allí se sabe del sollozo de las plantas en la sequía, de cómo la laguna se pone roja recordando la muerte de muchos guerreros antiguos que fueron degollados y arrojados a ella por sublevarse, de lo que dice el sol cuando las nubes pasan frente a él y cómo los truenos son producidos por San Isidro, el patrón de los chacareros, quien —jinete en un corcel herrado y brioso— galopa por los cielos ordenando la lluvia buena. O también una maravillosa historia, por ejemplo la del tal Tungurbao, que apareció por Chuquitén y era un hombre que no se supo de dónde vino ni a dónde se fue, pero que estuvo mucho tiempo por allí, tañendo su flauta de oro en las noches de luna, atrayendo y seduciendo a las mocitas con el hechizo de su música melodiosa, clara y alta —tanto como para llenar con ella la comarca—, nunca oída antes ni después. Tungurbao desapareció, acaso porque le apenaran las lágrimas de las madres o porque terminara su pacto con el Diablo. Esto sucedió hace mucho, pero mucho tiempo...

La cima del cerro Campana está pegada al cielo.

Los viajeros dejan a un lado el pueblo de Bambamarca, apiñado junto a una tersa laguna que refleja sus casitas de combas paredes de piedra y techos filudos como hachas, y comienzan a escalar una senda difícil. La naturaleza cambia también. Los arbustos se hacen más y más raros. Los sembríos más y más escasos y una paja amarilla se levanta a un lado y otro de la huella, engarzando en sus fibras brillantes gotas de agua. Hace frío ya y el viento arde en los labios.

La roca se muestra en gajos filudos contra el camino, en el camino y hacia abajo en barrancos. Por allí ha de subir el zaino, por esa faja tortuosa que hace equilibrios y es resbalosa como jabón. Hay de trecho en trecho, vaquillas metidas entre las rocas, ramoneando el ichu duro y quebradizo. El zaino inicia su viacrucis de animal bisoño en la serranía. Caídas y resbalones y un detenerse para mirar —caballo y jinete— recelosamente los abismos que el cerro comienza a ahondar junto a sus lajas perpendiculares; y a seguir nuevamente, paso a paso, curva a curva, escalón a escalón. ¿Hasta cuándo? Hasta siempre. No piense sino en pasar trabajos quien quiera que la puna le dé bienes.

El ingeniero vuelve la cara hacia atrás y mira, allá abajo, el pequeño pueblo de Bambamarca reducido hasta ser uno de juguetería. Los hombres se mueven como hormigas y la azul laguna es solamente una pupila por donde mira la tierra a la vasta amplitud cordillerana. Pero una densa niebla avanza progresivamente envolviéndolo todo. Al poco rato el pueblo, los cerros, el cielo, el camino, son tan solo recuerdos tras un vellón albo. El guía es un borrón gracias a su cercanía y su poncho obscuro.

—Si sigue así, no vamos a ver nada.

El indio precisa, seco:

—De mañana asies, ya aclarará dejuro...

Y dale al checo y a la coca. Y el ingeniero a su inquietud alerta a los tropezones y caídas de la bestia. De pronto, colándose por la sábana revuelta de la niebla, un canto triste y un balar de ovejas. Una pastora y su manada están por allí y produce al joven una sensación rara el hecho de sentir vida en sus contornos y no tener de ella más noción que la del sonido.

> Guapi, guapi, cóndor,
> no te lleves mi corderú,
> no te lleves mi corderuuuúu...

La voz es delgada y se expande blandamente en una mezcla de sollozo y de ruego; pero luego se levanta y arrebata sin dejar por eso el tono de melancolía:

> Porque si vos lo llevas,
> morirás el primerú,
> morirás el primeruuuuúu.

Don Osvaldo se siente un poco triste. Es contagiosa la tremenda congoja de esos cantos que articula el dolor desde las entrañas de una raza sufrida y paciente, víctima de una servidumbre despiadada y de la cordillera abrupta e inmisericorde. Cantos que son hijos del hambre y el látigo, de la roca y la fiera, de la nieve y la niebla, de la soledad y del viento.

La tonada se queda atrás y se pierde al fin, pues ya han subido mucho, pero la cuesta no se advierte en su rudeza sino por los escalones y las salientes de las rocas que rozan los estribos. Niebla, niebla. Ya no hay paja siquiera. Apenas se distinguen, a la vera del camino, plantas de hojas anchas y pegadas contra el suelo. Niebla. Sí: es cosa de acostumbrarse y aguzar la mirada. Don Osvaldo logra ver, a unos cuantos metros, que las rocas son negras y azules y los bancos pétreos se superponen cada vez más revueltos y riscosos. El sendero se pierde en los guijarros y las lajas, por lo que el guía se detiene:

—Dejaremos el caballo, nuay poder subire...

El zaino se queda atado a un pedrón, relinchando penosamente al ver que los hombres se alejan y poco después desaparecen en la niebla.

Las ojotas blandas son mejores que las botas claveteadas allí donde las rocas extienden grandes planos inclinados, fraccionan pequeños guijarros mal trabados y afilan picos que no ofrecen firmeza. El ingeniero resbala a cada paso y el guía ha de ir a su lado para evitar que caiga y se haga pedazos en las rocas de la fragorosa pendiente. Zumban los oídos del mozo y el guía siente unas manos tiesas y heladas entre las suyas. Es difícil respirar. Acaso el aire no exista.

—Nos regresaremos, mejor...

—Más una nadita, y ya llegamos parriba...

Prosiguen cogiéndose de las salientes. La niebla esconde tercamente los despeñaderos que se hacen aún más tremendos en la imposibilidad de ver el fin. Un esfuerzo más, aferrándose con pies y manos, y ya están sobre una cresta desnuda por la cual el guía avanza haciendo memoria, fijos los ojos en los picos y las grietas. Caminan un poco todavía, el joven con un cansancio de muerte en las piernas, hasta llegar a un picacho negro en cuyas rajaduras la nieve se ha cuajado formando una cristalería burda y brillante.

—Aquies, taita.

—¿La punta?

—Sí, taita.

Don Osvaldo llega al lado del guía y se sienta. La niebla se va rasgando en amplias cortinas que el viento
revuelve. La fuerte corriente de la cordillera agita y
extiende el poncho del indio en un intento de llevárselo
y clava en el ingeniero, a través de la gruesa chompa,
buidos estiletes de hielo.

El joven siente golpear su corazón en un trágico galope de angustia y las sienes le palpitan como si quisieran abrirse, en medio de un calofrío que le recorre
los nervios de la cabeza a los pies. Un chorro de sangre
brota de sus narices y se desespera entonces, y estalla:

—¿Me has traído a matar aquí, indio bestia?

El indio huiría si no viera brillar el revólver.

—¡Indio imbécil, inconsciente, estúpido! —sigue jurando el ingeniero, mientras enrojece el pañuelo que
sostiene en sus narices con temblorosas manos.

—Sies el soroche, taita... Masque coquita...

Y le tiende la talega policroma donde guarda la hoja
finamente picada. Don Osvaldo toma un puñado y lo
masca presurosamente. Cal también, así, sin perder un
segundo.

Ha asomado el sol, cercano, pero frío. Esplende ma-
jestuosamente sobre las nubes que se arremolinan aún
abajo y corren empujadas por el viento veloz. El mozo, en tanto que pasa la saliva dulciamarga, cierra los
ojos porque nada habla ya a sus sentidos. Un enervamiento calmo lo invade y apenas siente dos silencios
humanos en medio de un gran silencio cósmico. ¿Es la
muerte?

·No, no es tal. Ha mirado hacia allá, hacia el oriente,
y se ha ido poniendo de pie tomado por una impresión
sobrecogedora. Hacia allá, hacia el oriente, mal oculto
por hilachas de nubes, hay un mar negro cuyo fin no
se distingue. El Campana desciende en estribaciones
abruptas hasta perderse en esa gran oscuridad ondulante, apretada y honda, silenciosa y vasta, en cuyo
seno se opacan los rayos del sol. Es un mar formado
de noche. Es la selva.

En el horizonte, el cielo simula el fin con nubes plúmbeas, pero se siente que aquella oscuridad no acaba allí, que se prolonga hasta cubrir la faz de un mundo insospechado, de cuyos bordes el hombre nunca puede intuir el límite.

El ingeniero se dice a sí mismo: "¡es la selva!", y sus palabras resuenan extrañamente en el silencio y su última célula vibra y el postrero rincón de su alma tiembla percibiendo la paradoja del deslumbramiento negro.

Una faja blanquecina se apaga entre la vasta noche diurna y se puede pensar apenas que es un río. ¡Qué de árboles milenarios entrecruzarán allí sus ramas en una inacabable voluntad de existencia y si es que caen (¡don Juan!) haciendo surcos en la espesura, ellos serán borrados allí mismo por esa cerrazón creciente, por ese extenderse ilimitado que no sabrá de tiempo porque ha de rebasarlo y vencerlo eternamente! Es la selva.

El ingeniero quiere articular su emoción y vuelve los ojos al guía, pero él está mudo e impasible como las rocas. Sí: como esas rocas que se ven más allá y las que siguen hacia el norte formando cresterías innumerables, en una sucesión atropellada y majestuosa. El Callangate y el brillante nevado de Cajamarquilla, silenciosos y erguidos en un sereno orgullo de colosos, dominan el encadenamiento de cerros a cuyo final la vista no alcanza...

¿Se podrá ver el principio? El sur tiene la misma respuesta negativa, pues los cerros se entrecruzan haciendo asomar sus cúspides agudas sin dar razón del comienzo. En sus faldas, las chacras son apenas leves manchas, Bambamarca semeja un montón de piedras rodadas y el hombre y el animal desaparecen en la inmensidad y la lejanía. En el horizonte, siempre el cielo con sus nubes de escenario. Y lo mismo hacia el occidente, los mismos gigantes de piedra que yerguen y afilan sus rudas aristas para hurgar la zona hacia la cual los hombres miran en busca de Dios.

Y entre las cordilleras, entre esos cerros de occidente y éstos de oriente, una gran faja blanca en lo profundo, reptando como una gran serpiente por sus bases, aunándolos y apretándolos para guiarlos en la atropellada marcha. Es el Marañón, el río grande como los Andes y como la selva. Algunas faldas abultadas lo ocultan, pero siempre dejan adivinarlo, pues la faja asoma una y otra vez desenvolviéndose en amplias curvas hasta perderse tras el Cajamarquilla, haciendo afirmar rotundamente que no termina allí sino que se prolongará hasta que sea su propia voluntad el acabarse...

"Ande, selva y río son cosas duras, señor".

Eternas.

V

MUCHOS PEJES Y UN LOBO

El río estaba merma y merma y con el viejo Matías balseábamos a los forasteros fácilmente. Palizadas no pasaban ya, la balsita del Roge se ufanaba de sus contados palos. La tregua del verano advenía con suavidad de espuma ribereña.

La vuelta del agua a sus antiguas lindes dejaba en la playa brazos que daban tentación. Allí colocábamos nasas. El viejo gozaba como un bendito poniendo esos embudos de carrizo o caña brava en las correnteras y no había peje que se escapara. En los remansos, formados al pie de los pedrones, pescábamos con dinamita. Hay que ser mañoso para tener éxito en este trajín. Primero se echa pedazos de yuca y de carne cocidas. Los peces vienen a devorar la presa y van llegando cada vez en mayor número. De repente, ahí les va el cartucho. Ellos ven el conjunto de mecha blanca y bollo gris y se acercan en turbión, cuando he allí que revienta el bocado y van flotando panza al aire. Hay que ser buen nadador para alcanzarlos entre la corriente y maniobrar rápido, pues se escurren como azogue, para tirarlos a la orilla. Cuando salen del remanso ya no se persigue sino a los grandes.

En todo esto nos pasábamos el tiempo. Yo no ponía mano en mi platanar y don Matías no llegaba a irse al Recodo del Lobo. ¿Y qué sería del Arturo y del Rogelio?

El viejo decía:

—Los muchachos sian aplicao al trago dejuro. Siel río sigue bajando, será e peligro que pasen po Lescalera... Güenes la merma, pero ya no tanto.

Y entonces me ponía a pensar seriamente en La Escalera. Es una larga extensión por donde el río corre sobre un lecho de piedras filudas, bordeado de rocas cortadas a cincel que forman un paso muy estrecho. Es un' pongo. Las piedras surgen como punzones y hay que irlas esquivando en medio de un rugido salvaje que impide escuchar las palabras y hasta los gritos. Si van más de cuatro, se nombra un Balsero Mayor, quien, parado o acuclillado al centro de la balsa, va viendo el rumbo y gritando: "¡Derecha!", "¡izquierda!", "¡juerte!", y ñada más. Los balseros hunden las palas con toda su alma en el agua turbulenta, arrodillados al filo de la embarcación, en una especie de oración primitiva a las fuerzas de la naturaleza. Cuando el río está muy crecido cubre las rocas y solamente hay que tratar de no estrellarse en el recodo que asoma a la salida del mal paso y esquivar las chorreras de los costados; pero la corriente es tan violenta que el peligro de un estrellón y el consiguiente desamarre de la balsa es casi ineludible. Por esto, es mejor esperar que las aguas bajen un poco. Pasando La Escalera, no hay que temer. Uno puede ir tirado sobre la balsa, muy sí señor, mascando su coca y fumando mientras contempla los árboles de las playas, las peñas decoradas de cactos y las gritonas bandadas de loros que pasan agitando las alas en un conglomerado verde y vibrátil.

Yo le decía a don Matías:

—Ya vendrán. El Arturo es un balserote de cuenta y el Roge sale a nado.

Y el viejo ratificaba, convencido:

—Sí, pué.

No decía más, pero se quedaba mirándome, orgulloso de su raza, como haciendo ver que él era el taita de tamaños hijos.

Mientras tanto seguíamos pescando que era una bendición. No es cosa de perder la oportunidad cuando los pejes abundan y en el verano, ya lo sabemos, los brazos y los remansos desaparecen, pues el agua entra a un cauce acanalado en años y años de pasar. Entonces hay que estar poniendo anzuelos para que se prenda cualquier pescadito chirle, aunque verdad que siempre acuden porque, con el agua limpia, pueden ver el cebo a la distancia.

Estábamos pescando en una profunda poza que se había formado en una hondonada de la playa y era alimentada por un brazo de río. Los numerosos boquichicos —¡ya verían con la dinamita!— no sabían qué hacer buscando sitio para sus cuerpos.

—¡Ve los Encarnitas... ve los Encarnitas! —bromeaba el viejo.

Suyo es el chiste. Tales pejes son muy bocones y por eso su nombre sirve de apodo al Encarna, ese cholo que vive al final del valle y maneja una jeta de oreja a oreja. Cuando viene a la casa de don Matías, éste le grita a su mujer: "Melcha, fríete un boquinada". Y cualquiera de los que están por allí se extraña: "¿Boquinada?". A lo que el viejo retruca, guiñando el ojo: "Sí, pué, porque aura su nombre e verdá es mala palabra". Los otros se ríen y el cholo Encarna se hace el sordo. De éstas tiene el viejo.

Don Matías se hallaba parado a la orilla de la poza, en trusa no más, cuando de pronto dio un grito y se zampó al agua de cabeza igual que un pato. Ennegrecía el agua ya turbia removiendo el limo del fondo, pero pude observar que se movía como un cangrejo tras un bulto oscuro. Se le escapó y tomó altura, saliendo al brazo. Era un lobo habano claro, cubierto con su característica sustancia gelatinosa que brilla al sol. El viejo ya estaba tras él y yo me lancé al brazo para atajar al animal que, viéndose entre los dos, saltó a la playa para irse al río de frente. Los lobos no pueden correr en las piedras que no están bajo el agua, y más si, como ésas, se hallan calientes de sol, de manera que el viejo lo alcanzó pronto. Se le escurría por su gelatina. Logró cogerlo en tanto que el animal le clavaba los dientes en la palma de una mano. Todo pasó en el tiempo de un relámpago. El viejo lo aferró de una pata haciéndose soltar en el estertor de la lucha para darle una voltereta en el aire y estrellarle la cabeza contra las piedras. El lobo murió tiritando.

Don Matías se chupaba la herida y viendo al muerto tirado largo a largo, se rió:

—Yo le daré ondel Roge su cuerito pa que lo venda.

Y seguía riendo y dando con el pie en la panza fláccida del lobo:

—¡Ah condenao!, conque quitándole la ración de pejes a los cristianos, ¿no?

Su sangre salpicaba las piedras. De pronto se puso pálido.

—¿Le duele la mano?

—Quesqué —gruñó— es una corazonada lo que mia dao...

Y miró al río, que ya no estaba siquiera amenazador. Al contrario: las aguas bajaban cada vez más y hacían un murmullo manso. La entreabierta boca del viejo se contraía en una mueca rara.

Cargué el animal y echamos a andar. No hablamos una palabra en el trayecto ni cuando llegamos a la casa y menos al desollar el lobo. Salamos el cuero y el sol lo secó rápidamente. Era flexible y sedoso y daba gusto pasar las manos sobre él, pero don Matías ni lo miraba siquiera.

VI

LA ESCALERA

El Arturo y el Roge estaban en Shicún pasando buena vida. ¡Si les parecía a esos cristianos que todo el
cañazo del valle se había destilado para ellos! La casa
de Venancio Landauro los acogió, como solía hacerlo
y desde el primer día saborearon el ardiente licor que
quita las penas. ¿Cuáles? Nunca faltan, sobre todo si se
trata de aplacarlas. Molestando el gañote igual que es-
pina de peje, hay siempre cualquier penita a la que se
hace pasar a fuerza de tragos.

Cuando las penas fueron desmentidas por gargantas
cantoras y ojos alégres, visitaron una casa y otra, ar-
mando jarana con el pretexto de probar el "juerte",
remolcando una tropa de cholos tan borrachos como
ellos y también buenos balseros, por lo demás.

Los visitantes caminaban por las sendas que cule-
brean entre los cañaverales amarillos, oscilando a pesar
de estar sostenidos por las fraternas manos vallinas.
El Roge echaba un verso con el cual se consoló en el
pueblo de Cajabamba, cierta vez en que fue zarandeao
en una pelea desigual y quedó en soledad y con la
indumentaria faltosa:

Balsero calemarino,
forastero en tierra ajena.
Pobrecito forastero,
poncho al hombro y sin sombrero.

La última parte de la tonada estremecía el cañazo que ya tenía dispuesto ante sus labios calientes. Se quebraba blandamente en el cuello de la botella o la redonda concavidad del poro: "pon-on-cho al ho-om-bro y sin so-om-bre-e-roooó". Los otros cholos se reían y el Arturo intervenía:

—Pero los vallinos semos hermanitos, ¿verdá?

—Claro, hom, ni qué preguntalo, hom... —le respondía un coro entusiasta. Sin sombrero y a veces hasta sin el poncho al hombro caminaban trenzándose. Los compañeros de parranda les tenían las prendas, pues ellos no daban cuenta de su ser.

En el campo hay una flor
que le llaman cardo santo,
¿por qué ni me reparás
cuando yo te quiero tanto?

En eso pasaba una cholita bien ardilosa, de falda percalina, chapas de angelito y unos ojos que ni sombreados con hollín. Los calemarinos se quedaron mirándola con las jetas colgando. Quién sabe iban a decir algo.

—Cuidao, cuidao, ques palomita con nido...

Un cholo que estaba por allí ya enseñaba los dientes, como el perro antes de la pelea, pero ellos sabían respetar y no hubo ocasión de sacar los cuchillos.

Al despertar de un sueño muy largo, decidieron entrar al río. Medio borrachos todavía y después de haber conseguido la balsa por veinticinco, se embarcaron repartiendo adioses alborozados. Bajaban contentos con una balsa en regla, de quince palos gruesos y derechos, atrincada con bejucos que son mejores que el alambre y la soga porque no se oxidan ni pudren. Al centro de la embarcación iba el equipaje; chancaca en nudosos cestos de hoja de caña, plátanos, poros de cañazo y las alforjas y los ponchos, todo en seco, porque se trataba de una buena balsa. ¡Había que ver!

—¡Adiooós!... ¡adiooóns!... —gritaban los cholos de Shicún.

Ellos respondían agitando las palas, que no servían

sino para marcar el rumbo de rato en rato. La balsa era liviana, bien levantada y curva de la cabecera, un poco angosta de la cola, y obedecía como si hubiera sido amaestrada. La primera curva les borró a la cholada amiga, que se había agrupado en el embarcadero y se desgañitaba gritando. Solos y frente a frente por primera vez después de muchos días, no supieron qué decirse, acaso por tener que decirse mucho. Algo se interponía entre ellos, impreciso, pero cierto y amenazante. A decir verdad, el Arturo se embarcó para no desentonar con el hermano, quien se afanó y no quiso oír consejos, fanfarroneando que la Escalera resultaba para ellos un simple estornudo. El Roge comentó por decir algo:

—Güena la balsa, hom...

—Ya, claro, güenos soles que cuesta...

Bajaba la balsa en un vaivén calmo. Las pequeñas torrenteras eran salvadas con uno o dos golpes de pala a fin de que el agua no entrara a mojar el cargamento. El Arturo era maestro en eso de partir en dos los tumbos con una palada que tenía de corte y zamaqueo. Al tumbo más grande lo hacía quedar en nada junto a la balsa, humillado y como lamiéndola antes de deshacerse completamente. El río ora iba recto, ora curvo, ora haciendo repetidos zig-zags; pero la corriente no era mayor y los balseros podían estarse mirando las orillas en cuyas playas crecían higuerones y gualangos o en cuyas rocas se desnudaban cactos silenciosos que mostraban redondas flores de un granate de sangre. Los loros pasaban atronando el espacio o un venado que acaso bajó a beber a la orilla o a tomar sombra bajo los ramajes, echaba a correr hasta que se perdía de vista fugando desaforadamente a grandes saltos sobre las peñas.

—¡Animales del Diablo! —comentaba el Rogelio.

El Arturo nada decía y continuaba mascando su coca con los ojos clavados allí donde las aguas se perdían tras los recodos. No veía siquiera ese caminejo por el cual trajeron a la Lucinda en años pasados, que se curva como un hilo sobre las faldas de los cerros cuando no baja a perderse en las playas. Si miraba la balsa —él estaba en la cabecera sentado en el rollo de la soga que sirve para atracar— se quedaba fijo en el agua que pasaba glogloteando entre los livianos palos. El Rogelio comprendió su preocupación y preguntó:

—¿Y Lescalera?

El Arturo, con la cabeza casi vuelta hacia el hermano, que iba pegado a la cola dando rumbo, pensó un rato y luego dijo:

—Si pasamos hoy, dejuro será comual escurecer, peruel río ta que nialto ni bajo. Mira...

En ese rato pasaban cerca a una peña que hendía las aguas. El Arturo explicó:

—Cuando lagua no llega enesa peña hasta la muesca e más arriba, nostá güeno... Y cuando no baja hasta que se devisen piedras azules, peyor pué... Aura ta mal; puel medio...

Y el Rogelio:

—Pero sí pasamos, hom... sí pasamos...

—Nues tan fácil —se aferraba el Arturo—; ya pa loración ese sitio ta muy escuro... Repara pal sol... onde queda tan estrecho casi ni luz hay en el mesmo día... Repara pal sol, hom...

Sería como las cuatro y el sol ya no brillaba en el río. Una luz rojiza estaba a media cuesta, seguida por la sombra que dibujaba el perfil de los picachos del frente. El Arturo insistía:

—Más bien juera bajar onde la playita que va venir, amarrar juerte la balsa y pasar la noche poray... Yo te lo digo con conocencia, hermano, ocho veces hey pasao.

Pero el Rogelio no estaba para convencerse:

—Ba, hom... Yo te pensaba güenazo. Vamos nomá... Sí pasamos, hom...

El Arturo ya no argumentó más. No quería tampoco aparecer como menos al hermano menor, pero, ¡ya vería el jactancioso! Yapándose coca a la boca —la coca sabe de las horas buenas como de las malas en las fauces cholas— apenas barbotó:

—Güeno, pué...

Se quedaron silenciosos. Una valla de resquemor

los separaba. El Arturo veía al hermano como a un palangana sin conocimiento y éste le devolvía el tiro pensándole un tipo que flojeaba a última hora. No se hablaban ni para el quehacer. Poca cosa, en verdad. Palada aquí, palada allá y la balsa viraba y tomaba rumbo con una gallardía de garza en vuelo. La luz anaranjada corría sobre los peñascos perpendiculares y las breves laderas ascendiendo la cuesta, mientras el sol bajaba por el otro lado. La sombra iba creciendo hacia lo alto inmediatamente después, firme y sin despegarse. Se agigantaba hacia arriba como si surgiera del propio río, empeñada en desaparecer pronto las cumbres para dejar las aguas en medio de la noche.

El viento trajo un fuerte rumor de adelante y el Arturo se volvió presto:

—¿Oyes? Es Lescalera... Todavía hay cómo salir. Yastá muy oscuro ya...

Y el Rogelio siempre terco, bailándole en los ojos la figura de la Florinda. ¡Ah, cuando sepa la china que se arriesgó en el agua a esa hora y con caudal peligroso únicamente por llegar luego donde ella! Tardó la respuesta mientras corrían la balsa y los minutos:

—Vamos nomá, hom... Pareso semos balseros... Vamos, hom...

El Arturo, arrodillado en la cabecera, cogió su pala reciamente y la mantuvo en alto. El Rogelio lo imitó. Ya no era cosa de pensar en salir tampoco. La balsa entró en la correntada.

—¡Izquierda! —gritó el Arturo—. ¡Juerte, hom!

Y las palas se hundían afanosamente por el lado derecho alejando la balsa de unas rocas que asomaron como avanzadas de la emboscada de piedras puntiagudas. La balsa ondulaba sobre tumbos grandes y la corriente era fuerte. Por un lado y otro se veía la espuma blanca de las chorreras. El rumor se iba acentuando y de más abajo venía un mugido torvo.

—¡Derecha!... ¡derechaaaaa!...

Nuevamente las palas hundiéronse violentamente, como queriendo castigar a las aguas matreras. La balsa logró pasar, rozando una roca filuda como un formón. Los hombres iban anímicamente unidos de nuevo. El peligro había borrado hasta la última arista de choque. Eran otra vez dos hombres contra el enemigo común, ligados por esa fraternidad que da sólo el riesgo. Los cholos iban solidarios como dos guerreros y el enemigo estaba allí mismo, bajo aquellos maderos que los levantaban sobre el agua con una facilidad de mano de gigante.

—¡Juerte, hom!... ¡Lescaleraaaaaa!...

Y se oía y veía el agua partiéndose estrepitosamente entre cien picos de roca que asomaban de ella misma. Había que bogar fuerte para evitar las chorreras que se forman a los costados. El Arturo atravesaba con su mirada cortante la penumbra y veía el rumbo por tomar. ¡Irían por el centro mismo! El Rogelio bogaba silencioso, aguzando el oído. Ambos sentían en sus pechos la ebullición salvaje de La Escalera. Faltaría una cuadra para entrar al tumulto roquero cuando, de súbito, las palas se hunden baldíamente, el agua pasa sin llevarlos, la balsa se aquieta en medio del río con una terquedad extraña... El Arturo se queda mirando las peñas y ellas están ahí... siempre las mismas, silenciosas como despreciándolos. El Rogelio alza la cara y entiende todo en el rictus de la del hermano. Mira también las peñas: es verdad que no se avanza. Las peñas se han quedado frente a ellos inmóviles y frías. El agua corre como si no tuviera que ver con ellos, como si la balsa y ellos estuvieran en el aire. Pero no están en el aire —¡ojalá!— sino que la balsa ondula, se mueve apenas... El Arturo se vuelve al fin hacia el Rogelio:

—Nos atrancamos, hom...

Él no contesta nada. Entiende que la culpa es suya y no sabe pedir perdón. Tira su pala al centro y se deja caer pesadamente sobre los maderos. El Arturo se sienta y saca un talego para añadirse coca a la bola ya muy crecida. Entre tanto, oscurece. Las aguas siguen yéndose solas y rompiéndose contra las peñas de más abajo y pasando y llegando a Calemar.

Allí los habrían dejado, pero ahora se marchan solas...

Sucedió lo que el Arturo temía. El agua no se hallaba tan bajo como para descubrir todas las rocas ni tan alto como para hacer espacio suficiente y la balsa se ha atrancado. Al otro día, con más luz, hubiera podido advertir el gran tumbo que se forma sobre las rocas altas y pasar a un lado, mas ya no es cuestión de estar recriminando al Roge por su vehemencia. Ahora le preocupa solamente el hecho de que salir de allí no es fácil. Tirándose al agua no se encuentra fondo para afirmarse y palanquear la balsa. Tanteando por uno de los intervalos de los maderos, se la siente ensartada en un pico de roca. Salir de allí no es cosa de los hombres. Es cosa de Dios. ¡Si creciera el río! Dios es el río mismo.

Los hombres se han estado mirando silenciosamente, de reojo, hasta que ha cerrado la noche. Mecidos por la balsa ondulante han sentido correr el agua, hora tras hora en medio de las sombras. El ruido les ha impedido oír el golpe de los checos caleros que no se ha interrumpido un punto. Vuelven a mirarse cuando apenas hay cómo. Cuando revienta el día formando una capa láctea arriba, muy arriba, en ese lejano y promisorio capote nublado. ¡Por eso dirán que Dios está en el cielo!

VII

LOS DÍAS DUROS

—¡Hasta cuándo no vendrá la crecida! —suspira fatalistamente el Arturo.

Días duros esos en que los hombres tienen solamente las peñas golpeándoles las frentes, las aguas rompiéndose en rugidos de muerte y la balsa en un vaivén de sí y no. Es un ritmo implacable: sí-no..., sí-no... sí-no..., sí-no... para quedar siempre en el mismo sitio, clavada en una ruda arista del destino.

La angustia se enrabia y retuerce en el pecho como una víbora presta a saltar.

El Rogelio se siente culpable y reitera su propósito de tirarse al río y llegar a esa peña de la izquierda, que está agrietada y presenta posibilidad de subirla. Ya arriba, iría a Shicún o a Calemar o ascendería a las alturas donde viven los indios para llamar gente y salvar al hermano. El Arturo se opone una vez más a pesar de que el río no carga y, arriba, el viento barre las nubes voluntariosamente.

Ya se han comido todos los plátanos y el cañazo disminuye. A la mitad del día, cuando el sol se aploma entre las peñas, los achicharra sin compasión. Hunden los sombreros en el río y se echan el agua barrosa sobre las crenchas cálidas e hirsutas bajo las cuales sienten el cráneo como un fogón. Si es que la beben, les deja una costra de barro en la boca y tienen más sed. Entonces vuelven al cañazo.

El Roge se emborracha y tira un poro vacío al agua. La esfera amarilla se ve ondulando en los tumbos y él grita:

—¡Flori!... ¡Florindaaáa! ¡Ai te van mis adioóseéss!

Ni el eco responde. Las aguas braman en La Escalera erizada de peñas amenazantes. ¡Qué importaba si viniera la crecida: ellos la sabrían esquivar! Las aguas van cayendo junto con la tarde, la balsa se inclina hacia atrás de modo que ya no tienen ni la comodidad de la horizontal.

En la quinta noche, muy tarde ya, sienten que la balsa toma su nivel nuevamente. El oído baqueano distingue golpes de palos contra las peñas. Ellos esperan silenciosos. En la sombra no podrán rumbar y la muerte vendrá. La balsa ondula fuertemente, hay un encontrón que la estremece y se siente que algo se enreda en ella, algún tronco sin duda, pero todo pasa en seguida entre tirones débiles y la armazón sigue moviéndose en el mismo sitio, parsimoniosamente.

Llega un nuevo día sin más novedad que una agua lodosa y pestilente. Y otra vez, con el correr de las horas, el declive progresivo que no permite reposar ni descuidarse so pena de caer al agua. Y un día y otro. Los hombres están mudos como las peñas, y el único ruido es el del agua que brama y se revuelve más abajo, presa de un furioso deseo destructivo. Los gruesos labios brillan con un verde intenso de coca macerada, blanqueando en las comisuras una raya de cal.

Una noche el Roge se emborracha de mal modo y masculla palabras que el Arturo no oye bien.

—Un puñadito, hom... hermanito... ya se miacabó... ¿Nuay más juerte? Alcanzamel poro, hom... Mañana me tiro pa lagua, hom... Oye: si muero, dile onde la china Flori que jué po vela, hom...

El Arturo se le acerca y lo sacude tomándolo de los hombros. Le grita en las orejas:

—¡No bebaaás!... ¡Calmateeé!... ¡Te cayes a laguaaáa!...

El Rogelio se sosiega un poco y se tira sobre los palos. El hermano amanece rendido por la tensión de haberlo tenido toda la noche cogido de los hombros. Quiere descansar un poco y, sacudiéndolo, le miente para que se reanime:

—¡Ai viene la crecidaaaáa!...

El Roge se incorpora bruscamente dando un salto felino, y hace girar los ojos enrojecidos por todos los contornos. Se decepciona y masculla.

—No miengañes, hom...

Pero ya no se tiende. Está mirando el agua con rabia, en un gesto de reto y desesperación. Ya no quedan sino dos poros de cañazo y un lado de alforja de coca de la que aprovisionan sus talegos de hora en hora vacíos. Los cestos de chancaca están intactos aún porque habiendo coca, que es mejor, no son tocados todavía. ¡Agua maldita que no crece y carga barro y ni palos siquiera! Con sorbos de cañazo miden la angustia de las horas. Y viene el sol a prender sus garfios en los cuerpos abatidos por el hambre y la sed, el insomnio y la tensión ininterrumpida del riesgo. El Roge se yergue sacudiendo resueltamente los brazos y le dice al hermano:

—Mira, hom...: lagua nos va dejar aquí hasta que muramos. Si carga, ni juerza tendremos pa paliar... Mejor me tiro pal río a ver si salgo. Po ese peñón me agarro y salgo...

—No, hom, hermanito. Tan muy altas las rajas yes juerte la correntada...

—Si miarrastra, salgo pal medio y tiro pabajo puel dentrito mesmo paso Lescalera.

—No, hom..., la corriente tiarrastra... pue lao allá es juerte y te mete po dentre las peñas y las chorreras...

—Yo metiro, hom, salgo lueguito...

El Arturo se angustia, porque el hermano se ajusta el pantalón y con el amplio pañuelo se amarra el checo y la talega de coca al cuello. Le coge los hombros ruda y tiernamente:

—No, Rogito... No te tires, hom...

Una garza blanca pasa volando calma y donosamente. Se pierde doblando el recodo. Va hacia la vida.

Y el Roge, zafándose de las manos:

—¡Si salgo, salgo!

Se tira al río de costado, hendiendo el agua con el hombro en función de quilla... Avanza un buen trecho y comienza a bracear. Jala el agua con buen empuje. El Arturo se lo traga con los ojos y respira angustia en toda la amplitud de su tórax jadeante. Le grita:

—¡Luego, luegoóó!...

Él sabe que por la peña no saldrá, porque las grietas están muy altas y quiere que, al decepcionarse, alcance a tomar el centro del río sin ser arrastrado por la correntada y metido a las chorreras. Debe llegar lo más arriba, entonces.

—¡Luego, luegoóó!

El Roge no le oye, pero como si tal. Ya está muy cerca. Ya llega. Ha ido a dar al lado de la peña sin descender mucho. Estira los brazos, pero no alcanza a las grietas y entre tanto la corriente lo arrastra. Engarfia los dedos en las asperezas de las rocas intentando sujetarse, pero las aguas vencen. Al fin hay una saliente a la que se aferra con las manos sangrantes de raspaduras. Hace una flexión para alcanzar las grietas, pero ni así llega. Se vuelve y mira al hermano. Hasta la balsa es imposible que retorne. Ambos están midiendo la situación y se dan cuenta de lo mismo, en tanto que la corriente sacude al Roge como si lo quisiera arrancar a dentelladas. No tiene sino que llegar al centro y mantenerse allí para salvar La Escalera. Pero se ha fatigado mucho y le parece que el agua lo va a enredar como una madeja de mil hilos. ¡No en balde han sido los días tremendos aun sobre su cuerpo virilmente mozo! El hermano, desde la balsa, le hace señas y grita:

—¡Tira pal medio, pal medioóó!...

El Rogelio se decide al fin y suelta la saliente comenzando a bracear con ímpetu entre la correntada. Quiere sacar leguas en cada brazada, mas nota que pierde distancia. Pero bracea, bracea, seguido de los fraternos ojos desesperados. Un poco más y alcanzará el centro..., un poco más. Sí, un poco más... El Roge se bate defendiendo su vida y su amorosa esperanza...

Es un duelo de ímpetu y distancia... Un poco más...
Pero ya está muy abajo... Pero ya va a llegar al
centro porque si no... Los brazos se levantan y caen
con un ritmo vehemente... Al centro, al centro...
Mas la correntada no perdona, diez metros, cinco, dos,
uno, nada... ¡la chorrera!

El Arturo ve una esfera negra que se pierde en la
caída de agua y un brazo que dura un instante más
en lo alto, como diciéndole adiós... Luego, sólo el rugido tremendo del agua que se revuelve entre espumarajos. Ni la más leve silueta del hermano.

Le parece que un moscardón enorme está girando
en La Escalera. En sus oídos afiebrados el ruido se
agranda y toma un bajo acento musical. Teme volverse loco y se tira de bruces sobre la balsa, reptando
hasta el último poro de cañazo para darle un gran
beso de fauces resecas y amargas. Al fin le deja caer
y el poro rueda al agua.

El Arturo se queda tendido sobre la armazón ondulante, inerme y en una inconsciencia de cadáver. El sol
le raja las espaldas con su fusta implacable.

VIII

"APLICA, SEÑOR, TU IRA"

El viejo Matías se puso de muy mala gracia. Desde el día que cazó el lobo y le dio la corazonada, era hombre perdido. Lo peor es que, viéndolo, la Lucinda y la Florinda se pusieron a gimotear. La china Lucinda se consolaba con el Adán, y a la otra su taita la hizo cambiar de gesto. Con un leño en la mano la amenazó con despejarla si seguía llorando por ese cholo borracho y pata de perro. Ella secó sus lágrimas con la pollera, y se calló.

Pero el viejo no encontraba sosiego, pues doña Melcha nada le decía en la certeza de que la mandaría a rodar si trataba de hacer que pensara en otra cosa. Por lo demás, ella misma temblaba en lo más hondo de su corazón. Al pie del umbroso follaje del mango que se alza frente a su choza, el viejo se tiró sobre unos pellejos de venado y le daba a la coca como cuando se riega de noche. Verdad que estaba haciendo un riego o, mejor, cocinándose las tripas a punta de guarapo. A su lado ardía estiércol para que no le molestaran los bichos y se le veía hecho una miseria, con la camisa desabrochada y la panza al viento. Tenían que llevarle allí la comida y ni en la noche quería entrar en la casa. "No sé qué me pasa", decía. Y luego suspiraba: "¡Ay, mis hijos!" La coca le amargaba como hiel y esto equivalía a la certidumbre de algo funesto. Mascullaba interjecciones y repetía su estribillo blasfemo:

Aplica, Señor, tu ira, tu justicia y tu rigor;
y con tu santa paciencia, friégame nomá, Señor.

Estos alardes herejes de don Matías no le han impedido nunca por cierto dar su parte de dinero y guarapo para la "devocioncita" de la Virgen. Para los días de la fiesta vienen el cura de Pataz, comerciantes celendinos y gentes de todos lados. Las casas de Calemar se atestan de forasteros y, entre rezos, procesiones y padrenuestros interminables por las almas de los difuntos, nos emborrachamos como que hay Dios en el cielo. No faltan guitarras, flautas, antaras y bombos y, día y noche, el valle se convierte en una caja de música —marineras, cashuas, huainos— que se conjuga con la del río, y los árboles, y el viento. Sonada es la fiesta y cómo no, cuando la virgencita del Perpetuo Socorro de Calemar, que es pequeñita y con iglesia chica, hace más milagros que la Virgen del Perpetuo Socorro de Santiago, que es grande y tiene buena iglesia y ceras ardiendo todo el año al pie del anda. ¡Será porque nuestra Virgen es gringa, chaposita y con los ojos llorosamente azules y le hace más gracia al Señor!

Bueno: el hecho es que el viejo Matías se tiró a muerto. Lo dejé a un lado, poniéndome a mi quehacer porque era inútil tratar de arrancarlo de allí. "Déjame, hom... déjame, hom", decía. "Nuay corazón traidor pa su dueño". Así es que me fui a plantar los plátanos. No había necesidad de cortar monte para la ceniza, pues en la playa el río dejó palos y chamiza a montones después de la crecida. Hice un cerro y lo encendí. Las rojas llamas se agigantaban hacia el cielo y extendían su calor a muchos metros, mientras los palos que todavía estaban verdes se retorcían gimiendo y sudando resinas olorosas. Unas plantas de tabaco que estaban cerca se chamuscaron y yo lié un cigarro fuerte, sentándome en una piedra al lado del río. Veía la hoguera explicándome cómo dicen que hay gente que enciende las cosas por gusto. Es una furia salvaje y fervorosa la de las llamas, que gesticulan y se retuercen queriendo convertir toda la tierra en una brasa viva.

"¡Uaaa!" ... "¡Uaaa!", suena un grito apagado. Yo sigo viendo la llamarada, pero pensando ya en que el gramalotal ha invadido el terrenito y habrá que limpiarlo de nuevo, con poco trabajo, eso sí.

"¡Uaaa!"... ¡"Uaaa!", sigue el grito. Creo que es algún cholito que está espantando los pájaros de los platanares de más abajo, pero por precaución miro el camino del frente. No sube ni baja nadie. Eso ha de ser...

"¡Uaaa!"... "¡Uaaa!", más cerca, río arriba. Volteo y veo venir una balsa. Es grande y buena y se levanta sobre el agua fácilmente. En la cabecera hay un cristiano hecho muchos dobleces y que apenas mueve la pala. ¿Qué cosa?... ¡Guá! Logro reconocer al Arturo y grito con todas mis fuerzas: "¡Arturoóó!"... "¡Arturoooóó!" Mi voz llena el valle y ya está aquí el viejo Matías, que ha llegado en dos saltos. Comprendemos sin decirnos nada y nos tiramos al agua, alcanzando la balsa cuando va a pasarse.

El Arturo nos mira con los ojos más turbios que he visto, desde una cara amarilla como el sebo y nos tira la pala: "velay", recostándose sobre los maderos, sin sentido. El viejo saca agua en el cuenco de sus manos y se la echa a la cara. Yo comienzo a palear y, mientras nos acercamos a la orilla, voy viendo que en la balsa no hay nada y que sólo el Arturo y la pala han llegado en ella. Los palos están flojos y como si los hubieran lavado.

Atracamos y ya estamos en la casa llevando al Arturo en guando. A la Lucinda el espanto le amarra pies y manos y se queda temblando como una débil rama al golpe del temporal. La vieja Melcha, en el marco sombroso de la puerta, es igual que la estampa de la Dolorosa. En sus ojos hay vidrios en los que cruje la vida rompiéndose en mil fracciones estremecidas. La Florinda llega al poco rato y, en medio de una constatación sin palabras, se acuclilla a llorar su desventura.

Una bandada de loros cruza sobre nuestras cabezas picoteándonos con su gritería. Hemos tendido al Arturo sobre bayetas, en un ángulo del bohío, y se ha dormido entre la fresca penumbra. A nuestro silencio llega el rumor del río como un rezongo áspero y tenaz.

IX

EL RELATO DEL CHOLO ARTURO

El Arturo ha estado en cama muchos días. La fiebre lo ha hecho delirar quejándose del sol y llamando al Rogelio a gritos. Con ramas lo sobaba la vieja Melcha, y don Matías le abría las quijadas a puro pulso para hacerle tragar un poco de caldo.

Una tarde se incorpora mirando a todos lados. Detiene sus ojos en nosotros como si recién nos viera en su vida. Sí: ya está en la realidad y no en el abismo alucinado de la fiebre. Hace como si contara, uno a uno, los carrizos de la quincha. Sí: ya está en su casa, aquí en Calemar, y ahí están el taita Matías y la mama Melcha, la china Lucinda y el caisha Adán y también el cholo Lucas Vilca. ¡Sí: se ha salvado!

Nosotros nos acuclillamos en torno suyo. Nuestra anhelante actitud de espera parece más bien de acecho. Él rompe a hablar con palabras débiles:

—El Roge murió.

Ya lo sabíamos, sólo que la evidencia crispa las almas-de-lós viejos, en cuyas caras se dibujan tensas líneas temblonas. El cholo sigue informándonos con palabras entrecortadas, silenciándose para tomar fuerzas, bebiendo agua a sorbos y sudando frío en gruesas gotas.

Después que el Roge fue tragado por el río, él cayó exánime sobre la balsa. No recuerda bien. Su último pensamiento fue para meter las manos en los intervalos de los maderos. ¿Estuvo allí horas, días? ¡Quién sabe! Sintió un empujón y como que la balsa se enderezaba y, adentro en el pecho, una voz que era igual a la suya propia y le decía: "¡sálvate!" Se incorporó entonces sacando fuerza de donde no había y vio la crecida. El agua venía negreando, y cogió su pala encomendándose a la Virgen. Creció el río, apestando, y la balsa hizo un movimiento de desperezarse y comenzó a avanzar. Él venía adelante junto con la creciente y entró por el centro mismo de La Escalera. El agua bramaba como una vacada enfurecida. Pasaron velozmente picos de roca a un lado y otro. Ahí una chorrera, aquí una peña filuda en medio del vértigo. Ya estaba allí el recodo mostrando su rocosa curva saliente. Quizo tirar a un lado, pero un balsero es muy poco y, para más, él estaba sin fuerzas. De modo que la balsa se fue de frente contra la peña. ¿La desarmaría el encontrón? "¡Virgen del Socorro, patronita linda!", se encomendó en su alma. Y alzó la pala alargándola hacia la peña para recibir primero el golpe. El choque casi lo bota al agua; pero la balsa llegó con menos fuerza y solamente se aflojó. El agua la tuvo sujeta unos segundos a la peña y después la hizo virar hacia la derecha, pese a que él presionó la pala contra la roca tratando de impulsarla a la corriente. El recodo hacía allí un remolino, en el que comenzó a dar vueltas. Pasaban las palizadas temidas y que ahora deseaba para que lo sacaran de allí, pero los palos grandes iban por el lado contrario, que era el de más corriente y al remolino llegaba solamente chamiza. Y la balsa seguía dando vueltas hasta llegar al centro, donde se resistía evitando el sorbo del remolino. Era grande y nueva, de modo que sólo se hundía hasta que el agua le mojaba los pantalones, cuando ya el mismo remolino la había tirado a un lado. Parecía que iba a salir, pero chocaba con la peña y entraba de nuevo a dar vueltas. "¡Virgen del Socorro, patronita linda!", clamaba el Arturo cada vez que el remolino iniciaba su tarea de sorberlo. Ya en el centro, sintiendo el estertor de los maderos al cubrirse de aguas agitadas que le llegaban a veces hasta la cintura, enmudecía en un silencio que recapitulaba su vida.

¿Moriría como el Roge? ¿Y Calemar, y la mama Melcha y el taita Matías? El cocalito estaba ya verde, verde..., y al ají lo dejó coloreando. ¿Por qué el agua silba esa tonada que a él le gusta? ¡Ah, la china Lucinda ni se imaginaría! ¡Y el caisha Adán, sin taita! ¡El pobre viejo, ya tan viejo, suspiraría por los hijos al no poder pasar él solo este río descorazonado!...

¡Balsa, balsa buena y fuerte! Ya estaba a un lado otra vez. Y otra vez a dar aquellas vueltas sin consuelo. "Aquí moriré", decía el Arturo. "Será de Dios, será de Dios". Hasta que al fin, mientras la balsa hacía una curva amplia, vino un tronco enorme y negro. Pasaba a un lado, pero el Arturo logró alcanzarlo con la pala y afirmarla en él. La afirmó, la afirmó duro. Hubo un momento de vacilación en que pareció que el tronco los iba a seguir al remolino, pero la corriente lo volteó en toda su largura hacia abajo y tomó el buen rumbo remolcándolos. Ya estaba afuera. Al salir del estrecho, el río se ampliaba dando a dos playas grandes y soltó el tronco. Vio las playas como ver la vida. Palada y palada... Había que salvarse... Pero la balsa seguía al centro sin querer obedecer sus golpes débiles. Hasta que vio el valle de Calemar... ¡Su valle!... Y se puso a gritar...

—Lo e dispués, ya lo saben —terminó el Arturo.

—¿Y tu ponchito y las cosas ónde te los quitó lagua? —preguntó la Lucinda, solícita.

—¿Nuan llegao? —inquirió a su vez el Arturo. Y luego ante nuestro meditativo silencio:— Entón no sé...

Y se dejó caer sobre las bayetas policromas. La vieja Melcha lloraba y don Matías, acurrucado y mudo, era como un ídolo de piedra. El Arturo se durmió profundamente y yo lo miraba con ojos admirados.

—Bravo, el cholo —le dije a don Matías.

El viejo se volvió hacia mí clavándome una mirada de siglos:

—El río tamién es bravo. De tanto guapiar morimos a veces. Pero no le juímos, porque semos hombres y tenemos que vivir comues la vida.

X

¡FIESTA!

En la comarca, la vida puede tomar mil direcciones y sentidos: puede herir, dar y quitar, proyectar torrenteras de angustia y ahondar chorreras de muerte y desolación; puede agitar ventarrones de odio y lanzar rayos fulminantes, henchir los frutos y colmar el amor; puede hacer cantar y también llorar...; pero una vez al año, durante quince días, ella tiene una misma expresión, todo se junta en un haz ebrio de sinos: la fiesta.

Y ha llegado el tiempo de la fiesta.

Calemar rebosa de forasteros y de júbilo. Naturales y visitantes visten trajes nuevos, derrochando entre el verde intenso de la floresta toda laya de colores vivos. Y se comercia, se bebe, se come, se baila. Es entonces, pues, plena la bienaventuranza.

Además, ahí está el cura para que diga misas a la Santísima Virgen y por los difuntos. Don Casimiro Baltodano, párroco de Pataz, ha venido como todos los años, pues siempre es llamado gracias a las cualidades que hacen de él un gran cura: oficia la misa cantada del día principal de la fiesta con recia voz y además no se niega a dar una vuelta de baile y a zamparse un trago.

Los fiesteros todos lo agasajan, y el día de su llegada fue recibido con música y cohetes, amén de los tragos necesarios.

—¡Vive! taita cura!

—¡Vivaaaáa!...

El cura entró en su veterana mula parda —que no se asusta de la alharaca y los apretones de los cholos, ni del alarido de la flauta y el retumbo del bombo y menos del estallido de las avellanas— deteniéndose de rato en rato para aventarse un poto de chicha o medio vaso del "juerte". A veces pasaba un poco de la bebida al sacristán, un cholito de aire tímido que iba tras él cabalgando un enteco jamelgo.

—¡Vivel taita cura!

—¡Vivaaáa!...

Ya ofició ayer la solemne misa de la Virgen e hizo como diez matrimonios y veinte bautizos. Cantó muy bien, pues se le podía oír aun estando muy lejos de la iglesia y el sacristán derrochó incienso haciendo una buena humareda, de manera que la satisfacción es general.

Hoy dijo, cantada también, la que corresponde a los finados de don Juan Plaza, quien ha venido a mandarla oficiar como todos los años, y terminó de enredar a los concertados y bautizar a los moros que restaban. Mañana comenzará con las misas rezadas por el alma de los deudos del pueblo. Entre tanto, el señor cura va de un lado a otro comiendo y bebiendo de lo mejor y bailando con la china que se le antoja.

—¡Vivel taita cura!

—¡Vivaaáa!...

Además de don Juan Plaza, han venido muchos, como es natural. ¡Vaya con el gentío! Indios de Bambamarca y Condomarca y de la otra banda, los infaltables comerciantes celendinos —pata en el suelo y bolsico lleno— y hasta un hacendado que ha traído mulas y arrieros para llevar coca.

Los bohíos están atestados y no sólo de gente, pues en los corredores se amontonan costales que contienen los productos que vallinos y visitantes canjean. Muchas casas ostentan banderolas que ondean al viento anunciando diversos artículos de venta: las rojas, pregonan chicha; las verdes, coca; las azules, cañazo y guarapo; las blancas, pan. Los celendinos extienden en los patios sus atados de mercaderías: colorean percalas, brillan espejuelos y cuchillos, blanquean sombreros. Nada falta.

Y por acá suenan guitarras y por allá bombos, y por este sitio marineras y por el otro cashuas.

En la noche, después de comer, se interrumpe el baile un momento. Un cielo que por este tiempo no deja de encender una de sus estrellas, nos ve ir a todos los vallinos y visitantes a la iglesia.

La Santísima Virgen del Perpetuo Socorro de Calemar está al fondo, en el centro de un altar repleto de ceras que se escalonan en filas, desde el suelo hasta el techo y arden haciendo palpitar su luz rojiza y esparciendo un olor a sebo, que se mezcla con el del incienso que los devotos queman. La pequeña y milagrosa imagen viste un brillante traje de seda bordado de oro y tiene la faz ligeramente entornada hacia el cielo. Son azules los ojos, encendidas las mejillas y la boca púrpura. Una de sus manos se pierde entre los abundantes pliegues de la veste y la otra —rosada, fina, dadivosa— se alarga hacia la cholada que se apretuja a sus pies para darle su bendición.

¡Esa carita de cielo qué no conseguirá! Se le pide por la propia alma y por la de los difuntos. La rezadora, arrodillada al pie de la imagen, dice la primera parte del Padre Nuestro y la concurrencia corea la restante. Las voces se juntan y confunden, formando una música profunda, quejumbrosa y monótona.

—Oracioncita po lalmita el difuntito Pedro Ruiz...

La oración transida parece un lamento.

—Oracioncita po lalmita el difuntito Martín Blas...

Tantas oraciones como difuntos. El nombre del Roge ha sido dicho ya esta vez. "Ooouunnm... oouunnn... oooouunn... oumm... oun... oun... ouuuunnmm... oooounnnnnm... oun... ooounnnmm... oouunnn... aameeeéénnnm".

Del inmóvil conglomerado de cabezas, rebozos y ponchos que llena el suelo del recinto hasta no dejar ver un claro, se elevan las oraciones formando, con el incienso, una nube que va hacia la Virgen, que va hacia Dios rindiéndoles homenaje y pidiéndoles que el alma de los vivos sea perdonada y la de los muer tos salvada.

Después se vuelve al baile nuevamente.

En la oscuridad de la noche, cuando el viento bambolea los árboles en medio de la música que llena el valle, parece que ellos danzaran también y que el río cruzara dando una gran risotada de satisfacción, y que los ecos que suceden a nuestros gritos de júbilo fueran las voces con que las peñas se mezclan al alborozo.

De las casas se alejan furtivamente parejas de recién casados o que no lo son y, recelando de las víboras, sobre un lecho de suelo y bajo una cobija de sombra rutilante de estrellas, se toman ebrias de alcohol y de ansia, plenas del fuego con el que encandilan carne y alma las tórridas noches del Marañón.

El que ahora sufre y goza en medio de grandes afanes y el ejercicio del poder, es el Florencio Obando. Como todos los años, en su carácter de Teniente Gobernador, se ha preparado para la fiesta nombrando "números" a dos de los cholos más recios del valle. Si alguien se insolenta, la trompada de uno de ellos lo tiende a dormir para que se despierte formal.

Su autoridad, por lo demás, es robusta. Hace muchos años, después de varios cambios, fue aclamado Teniente Gobernador por el valle en masa y ante tan unánime voluntad, el título fue reconocido en forma oficial. La autoridad saliente, desde luego, le hizo entrega solemne del papel de oficio y el sello. No los ha usado mucho desde entonces y ésta es la razón por la cual todos se encuentran satisfechos de él.

En suma, sabe hacer las cosas. No se atiene a obsequios de gallinas o cañazo para apresar o libertar a nadie. Tampoco lleva presos a la capital de la provincia, pues una encerrona en la iglesia —cuando en ella no hay devotos, desde luego— la estima suficiente, como debe ser. Él es quien sentenció que el Martín había provocado al Pablo cuando el lío del palo de

balsa y todo quedó en nada. Y él, también, quien
mintió a los guardias civiles que los Romeros no estaban aquí cuando vinieron por ellos. Todo esto le ha
granjeado la estimación general, pero su fama creció
mayormente por un estribillo de marinera repetido
en toda la comarca, del cual es autor:

> Yo soy el uno,
> yo soy el dos,
> yo soy Teniente
> Gobernador.

Tiene su buena edad —cualquiera le echa cincuenta
años— y, como se ve, es hombre de juicio. Realzando
su mérito se encuentra el hecho de que se desenvuelve
bien sin saber leer ni escribir. Cuando llega la hora
de redactar un oficio a su inmediato superior, el Gobernador de Bambamarca, atenuando las faltas atri-
buidas a los vallinos o justificando alguna captura
frustrada, su hijo es quien traza los garabatos, pero
él, acaso para estar de acuerdo con la solemnidad
del acto o para que conste que ratifica íntegramente
lo que allí se dice, estampa el sello en las cuatro es-
quinas del papel.

Ahora el Florencio Obando va de un lado a otro
seguido de los números, vigilando que los celendinos
no sufran hurtos, deshaciendo los líos y apaciguando
a los peleanderos, sin dejar por eso de gustar unos
cuantos tragos.

Como la iglesia, abierta a la devoción día y noche,
no puede servir de cárcel, las medidas radicales son
más que nunca necesarias. Si hay alguno que lo irres-
peta y trata de propasarse, allí están los números
para hacerle entender cuánto es el poder de Florencio
Obando, Teniente Gobernador del caserío de Calemar.

Esta mañana ha sido la tercera misa, iniciación de
las que se han de oficiar de aquí en adelante por
el alma de los difuntos. Aunque eructando a guisos,

coca y cañazo y con las caras mustias por la mala noche, la hemos oído con toda devoción. ¡Sálvese el alma beneficiada con ella y descanse en paz eternamente!

Mas a las pocas horas la gente comenzó a rezongar porque se supo que el cura no había consagrado con vino sino con una mezcla de cañazo y aloja, pues la botella de vino que trajo se la bebió anoche en la borrachera que se aplicó en compañía de don Juan Plaza.

La desconfianza cundió entonces y un bambamarquino fue a preguntarle por la fecha en que iba a decir la misa que le contrató.

—Ya la dije esta mañana, hijo —fue su respuesta.

Y luego fueron vallinos y jalquinos con el mismo objeto y para todos tuvo la misma contestación:

—Ya la dije esta mañana, hijo.

Y como sobraron los comentarios, se entró primero en disputa por la intención de las misas y de allí se pasó al asombro y a la indignación, terminando por nombrarse una comisión de reclamo.

El cura, parado al filo del corredor del bohío de Manuel Campos, donde se hospeda —el tal Campos es su conocido, como buen oriundo de Pataz—, escuchó a la comisión con la cara muy seria, esponjando los carrillos y enarcando las gruesas cejas. Al fin se dignó dar explicaciones y, elevando de cuando en cuando los brazos al cielo, dijo:

—La intención es la que vale, hijitos míos... Se puede decir una sola misa por muchos cristianos a la vez... Si se pide su eterno descanso en brazos del Señor, lo mismo da pedir por todos que pedir por uno en una sola misa... Todo esto es permitido por la Santa Madre Iglesia, regida por el Santo Papa que está en Roma y es el representante de Nuestro Señor, que está en los Cielos...

Unas cuantas voces altas se dejaron oír entre un murmullo de inconformidad:

—Pero, taita cura, laño pasao nua sío dese modo. Usté decía misa po cada cristiano que le pagaba pa que la dijiera... Catay la diayer jué toavía la e don Juan Plaza... Asies costumbre...

Don Casimiro Baltodano se cruzó de brazos, abultó aún más su vientre echándose hacia atrás, y respondió autoritariamente:

—Es costumbre, pero es un error... Si quieren misa aparte, porque se les antoja, les cuesta cinco soles cada una...

Las chinas de la comisión rogaron plañideramente:

—Pero, taita cura, no seyasté así..., piensen las almitas...

—¿Qué le dirá Dios lora el juicio?...

El señor cura, sin abandonar su actitud autoritaria, insistió en el precio con un nuevo argumento:

—Si quieren misa aparte, ya les digo: cinco soles por cada una. Dos soles no alcanzan ni para el vino...

Y entonces la indignación creció en los pechos y con palabras desnudas se la tiraron a la cara:

—¡No seyasté mentiroso!

—Sia consagrao con aloja y juerte...

—¡Descarao!

—Sí, ¡esun descarao!

Viendo la merma de su autoridad, el señor cura optó por la retirada, no sin decir antes con los brazos en alto y los ojos en el cielo:

—No les engaño... ¡testigo es Dios!

Y rápidamente, con unas cuantas zancadas introdujo su corpachón holgadamente envuelto en una sotana verdosa, al interior del bohío. La comisión retornó hablando del cura y trayendo a colación al Diablo y se fue disgregando a medida que cada quien encontraba su camino.

La noticia se esparció rápidamente por todo el valle y ahora ya no hay ganas de bailar. Se bebe, sí, para pasar el mal rato. Los varones, sentados a la puerta de las casas, al pie de los árboles, sobre los cercos, al filo de los caminos, vacían poros y comentan indignadamente. Las chinas, por su parte, mientras preparan la merienda o lavan botijas al borde de las acequias, no se quedan atrás moviendo la lengua.

—El cura sia güelto avariento...

—Onde sia visto quiunalmita seya desconsiderada...

—¡Y toavía po un cura!

—¡Condenao, no le verá la caral Señor!

Los cholos recapitulan todos los detalles. Ser borracho puede pasar; pero eso de beberse el vino destinado a la consagración es imperdonable, tanto como celebrar una sola misa por las almas y cobrar como por veinte misas. Luego, se cae en la cuenta de que el cura come, bebe y engorda con la plata del pobre; y ¿por qué? Eso de andar con sotana y hablar sin que le entienda nadie delante de un libro, que siempre es el mismo libro, no demanda gran trabajo. Hasta el sacristán es objeto de las más punzantes opiniones.

—¡Yese quiace! Ni responder juerte pueden la misa...

—Ni muevel inciensiario siquiera...

—Sí, pué, tuesos flojos que pa nada sirven se meten e sacristanes...

—¡Polleronudos como mujeres, como mesmos curas!

—¡Que siembre sies hombre!

—¡Que pesque yunta!

Después de todo, qué se iba a hacer: el cura daba razones con "mucha palabra". Y llegada la noche se comió, y se bebió, y se comenzó a bailar. Y marineras, cashuas y chiquitas volvieron a elastizar piernas y caderas. Y a hacer tremar senos y hacer brillar ojos.

—¡Viva la fiesta!

—¡Muerel cura ladrón!

Y, entre grito y grito, las letras cundas. Se recuerda las marineras y chiquitas cuya letra expresa la inconformidad y la cazurrería vallina. Calemar entero es una gran sonrisa que muestra afilados incisivos cholos.

Ay, María Rosa,
questarás haciendo
en la noche escura
conel señor cura.

—Jajay —estalla el regocijo de cantores y danzantes.

—Güena, a ver otro desos cantos con verdá...

Yo tenía mi chinita
que se llamaba Dionisia,

y el cura me la quitó
diciendo quera premicia.

¡Y leña a la mera candela!, en forma de la noticia
de que el cura se marchará al día siguiente. Claro:
no diciendo más misas tiene que marcharse y consti-
tuye un gran asombro no haberse dado cuenta de ello.
¿Así es que el cura se va de veras? Las cosas se van
poniendo realmente intolerables.

Es en un baile de vallinos netos donde el asunto
adquiere mayor gravedad, pues de por medio se pone
el prestigio de Calemar. Una mujer ya rugosa es la
que se exalta más.

—¡Si parece que nuay concencia! To mi vida e
calemarina nuey visto quiun cura se porte deste
modo...

Tiembla. Se desgreña. Parada al centro del bohío,
da vueltas mirando a todos los cholos. La luz amarillenta que alumbra escasamente la pieza aumenta
la palidez de su faz.

—Perues poque los hombres se dejan... Ya ni parecen cristianos destos valles, con coraje enel pecho...

Al Venancio Landauro, una cuchillada matrera no le
habría producido más rabia... Después de levantarse
el sombrero a la coronilla y escupir la bola cual se
acostumbra antes de pelear, se da un fuerte puñetazo
en el pecho y barbota:

—Yo voy atajalo... yel que quiera, venga...

Es uno de Shicún quien así procede. Calemar no
debe quedarse atrás. Es entonces cuando una docena
de cholos se ponen a su lado.

—Vamos, vamos...

El Venancio dice todavía:

—Y dinó quiere quedarse, hay que sonale... Una
vez questaba en Marcabalito vide quial cura le sonaron bien sonao... Y yo tamién le di sus cuantos
quiños...

—Sieso quieren los curas ladrones...

—Que comprienda quen Calemar no se juega.

Y salen vociferando y agitando los puños. Detrás
marchan las mujeres armadas de garrotes y piedras.

Uno de los más serenos detiene al grupo:

—Hay quir ondel Teniente Gobernador...

—Sí, quel Florencio pida que diga las misas o que dinó entregue la plata...

El Florencio Obando, a quien se encuentra un momento después en su casa, no se hace rogar, pues ha pagado también una misa. Acompañado de los números, con quienes ha estado comiendo, entra a engrosar el grupo.

—Hay que atajalo o que degüelva la plata —ratifica el Florencio.

—¡Vivel Teniente!

—¡Vivaaaaáa!...

—¡Viva lautoridá ques del pueblo!

—¡Vivaaáa!...

Todos los fiesteros corren a ver qué pasa y el grupo se aumenta con los que se pliegan a la causa. El Valle se llena de gritos.

—¡Muerel cura ladrón!

—¡Mueraaaáa!...

Llegan al fin a la posada del cura. Los cholos se bambolean y gesticulan, borrachos y furiosos.

—¡Que salguel cura!

—¡Que salga!

El Manuel Campos sale mirando a todos lados para ver si hay lugar adecuado a la fuga, pero la cholada ha rodeado el bohío sospechando de la oscuridad que reina en él, pues no lo alumbra ni una vela pese a que la penumbra de la noche estrellada, bajo el techo se ha convertido en sombra densa.

—¡Vos no, que salguel cura!

—¡Dile que salga!

El dueño de casa se atreve a decir medrosamente:

—Nuestá...

—Que salga po las güenas pa entendersen paz.

Un puño cerrado se mueve frente a los ojos del cholo Campos. El barullo crece de momento en momento. Una voz femenina chilla:

—Que salga tamién su sacristán...

—Que salguel polleronudo tamién, que salga —ratifican muchas voces.

parece el sacristán entonces, encogido, como que-
ṃado en dos. Es un mestizo flaco, enclenque. Trata
de explicarse y accionar, pero su voz tartamudea y sus
brazos tiemblan. Cogiéndose las manos, ruega más
bien que niega:

—Nuestá... se jué haciun rato...

—¿Yónde se jué? —reclama el Teniente Gobernador.

—Que diga...

—Que diga...

Las voces de las chinas incitan. Las de los cholos
amenazan.

—Nuay, no sé pa onde se jué —insiste.

Una pedrada zumba rozando su cabeza. El cholo
Campos se escurre quién sabe cómo y cruza el grupo
escapándose al monte. El Florencio Obando cree llegado el momento de dar prueba de su energía y de
una bofetada tiende al suelo al tembloroso servidor
del cura.

—¡Mentiroso!

El caído se contorsiona en medio de un revoltijo
de pies que lo patean. Al tratar de incorporarse, las
trompadas le menudean derribándolo de nuevo.

—No sé ondestá... No me peguen questoymalo...
—clama a la vez que da alaridos.

—Conque malo, ¿no? Yasí sabes mentir...

—Délen, délen...

Llega un momento en que el cuerpo se queda inmóvil y la voz deja de clamar y entonces se apartan
para cambiar ideas.

—En el monte ay tar...

—Vamo a buscalo.

Mas de pronto se escuchan un galope y una voz que
grita:

—Puacá se va..., puacá se vel curaaáa...

En medio de la sombra y del montal, solamente es
posible percibir el repiqueteo de los cascos en fuga.
Se aleja. Toma la cuesta.

—Po frente a mi casa pasó y se va montao en el
puro pelo —asegura una mujer a la hora de las ave-
riguaciones.

Y algunos cholos, el Florencio Obando a la cabeza,

montan en pelo también y salen disparados hacia el camino. Los oídos alertas escuchan el estrépito de la carrera. Ya el chasquido menudo que iba adelante no se oye más. El tropel de los cuatro caballos que montan los perseguidores se apaga también a la distancia. Después suenan disparos y al poco rato los cholos vuelven y explican que el cura se detuvo y les metió bala, por lo cual no pudieron acercársele.

—¡Muerel cura ladrón!...
—¡¡Mueraaaáa!...
—¡Vivel Teniente!
—¡Vivaaaáa!...

Después de tomar muchas copas, el baile recomienza. La música suena alegremente, expandiéndose por todo el valle en tanto que, junto a una acequia hasta la cual ha logrado arrastrar su cuerpo magullado, el sacristán lava sus heridas en silencio.

Sin cura y sin malas gentes, porque el sacristán marchóse al tercer día, se puede también gozar; ya que las almas sin misas perdonarán, pues no ha sido de nosotros la culpa.

La vida es buena. Comamos, bebamos, bailemos y amemos simple y rudamente. Es la vida esplendorosamente buena.

—¡Salú!
—¡Hasta lotra, po la Virgen!
—¡Esues, po la Virgen!

¡Fiesta, alegre fiesta, de todos los años! ¡Levántense voces cantoras, giman flautas, bramen bombos, sollocen antaras, trinen guitarras, que nuestras privaciones y nuestras harturas, nuestros vencimientos y nuestras esperanzas, nuestros dolores y nuestras alegrías giran ahora hechas una sola euforia de ebriedad y de danza!

XI

CHARLA DE BOHÍO

Sólo chirapas cayeron al principio, pero después los cielos se fueron encapotando densamente, las nubes tomaron el color del plomo y del fierro oxidado y estallaron al fin en un desplome de agua, truenos y relámpagos.

Ya está aquí el invierno nuevamente. Se nos vino encima.

Tiemblan las chozas y se estremecen los cerros, el río crece y la tierra del valle se esponja, cálida y jugosa, haciendo brotar yerba tupida y verdeando con un verde fresco los árboles.

Cuando el sol logra aguaitar por un raro jirón de cielo limpio, las peñas húmedas aparecen más que nunca rojas, los árboles brillan como nuevos y el río —prieto de lodo, convulsionado de palizadas— es un brochazo torvo en medio de la alegre policromía de la naturaleza. Pero el sol dura poco y la atmósfera del cañón es casi siempre gris, como si estuviera llena de ceniza, y arriba el cielo pesa como una amenaza.

Y la lluvia cae tarde y noche, cuando no en la mañana también, obligándonos a permanecer en nuestros bohíos. Ya retiramos las balsas a mucha distancia de la orilla para que la creciente no las arrastre. Ya cerramos las tomas de las acequias a fin de que el abultado caudal de la quebrada no inunde el valle.

Ahora vengan coca y charla, si es que a algún cristiano no se le ocurre pasar.

Llueve, llueve. El río ronca y la lluvia cae rumorosamente sobre las hojas. Un fuerte golpe de viento bambolea los árboles, de los que caen gruesos chorros de agua, y mete un retazo de temporal a través de los carrizos de la quincha. Zumba y ruge el cañón.

Luego, con la calma, se percibe el chirrido punzante de los grillos y un graznar de tucos que van a buscar refugio en las grietas de las peñas. Las otras aves aletean penosamente, yendo de árbol en árbol sin encontrar lugar propicio. Terminarán por irse sabe Dios a qué sitio o por morir. ¿Cómo y dónde acabarán las aves? Las que no caen ante sus enemigos —hombres y fieras— ¿por qué y cuándo morirán?

Discutiendo este problema estamos en la choza de don Matías. Yo me he quedado aquí desde la mañana, después de balsear a un grupo de bambamarquinos. El Silverio Cruz vino de su bohío a pedir candela y hasta ahora no se va, pues, anudado a la charla, dejó pasar el tiempo y la lluvia ha vuelto a caer y teme que le apague las brasas, pese a que él guarecerá la callana bajo su poncho.

—Sí, pué —dice don Matías—, cosita que quisiera saber es la muerte e los pajaritos... Nunca mei encontrao niuno muerto puel campo salvo al que lo haiga desplumao una culebra o cualesquiera animal o un tiro, pero entón se nota... Muerto po su muerte mesma, nunca...

La vieja Melcha, desde un rincón en donde está sentada junto a la Lucinda aovillando madejas de lana que han cambiado por coca a los indios jalquinos, apunta:

—Son cosas e Dios, cristianos... ¿Quién que sepa? Único Él...

—Único Él —repite la Lucinda, a la vez que hace girar el ovillo en el cual envuelve el hilo gris de la madeja que doña Melcha tiempla entre sus manos.

El Adán, sentado junto al taita, escucha con gran atención sin llegar a entender de qué se trata. Éste tiene fe en los señores y afirma, aunque con alguna despreocupación:

—Yo digo que los señores, esos letraos quiay po los pueblos, esos nomá saben.

Pero don Matías lo interrumpe acentuando la voz, tanto por dar énfasis a su concepto, cuanto porque el rumor de la lluvia acrece, dificultando escuchar las palabras:

—Ésos dicen que saben, pero nues lo mesmo que saber e verdá, quiaberse dao cuenta con los meros ojos diuno...

El Silverio Cruz, que ha estado acechando el momento oportuno, tercia para pedir que se le escuche:

—Maldiciao aguaceral... mientras escampa pa dirme, yo les voy a contar comues eso e la muerte e los pajaritos... Oiganmé...

—Dilo, hom, dilo...

—Cuanduera muchacho mi mama contabuna historia quella loyó tamién cuando muchacha... Dicen quiun cristiano se jué a cortar leñita y como no lencontraba cerca se jué yendo, yendo po una quebrada... Iba puen medio diun montal y leña güena nuabía, sólo meros palos verdes hallaba... y más lejos toavía siba cuando velay quioye un canto e pajaritos... y se jué acercando cuando dizqué vidun campito espaciao onde los pajaritos siabían aposentao en las ramas e to la güelta... Y bía to clase e pajaritos... unos coloraos, unos verdes, unos pardos, unos amarillos, que digo huanchacos, que digo chiscos, que digo rocoteros, que digo quienquienes... yotros pajaritos quél no conocía puen su vida los bía reparao nunca, nuñquita... Asies questaban ai cantando yel cristiano se quedó parao ai, embelesao, oyendo aquel canto... pue toítos cantaban diacuerdo yerel canto más lindo quiun cristiano haiga escuchao... Cuando diun momento los pajaritos se callaron y uno dellos questaba en la rama más alta yera ya dejuro medio viejo, pue tenía la pluma sin brillo, levantuel vuelo subiendo, subiendo dando güeltas hasta quel cristiano ya no lo vio y los otros pajaritos tamién no lo vieron poque subió pa las nubes, más arriba e las nubes, poque subió pal cielo...

—Guá, hom, perueso nues muerte —apunta el viejo, un tanto asombrado.

—Esues, pué, la muerte diun pajarito —continúa el Silverio—, pué un pajarito se va toíto pal cielo, pué ni con su cuerpecito ha hecho siquiera niun daño...

—Guá, hom.

El narrador se entusiasma con su relato y la admiración es unánime, pues hasta las chinas lo miran con ojos absortos, y prosigue:

—Güeno, pué... Yeneso los pajaritos vieron ondel cristiano yuno dellos voló pa una rama cerca dél y dizqué como si juera otro mero cristiano tamién yasí jué que le alvirtió: "Yas visto lo que niun cristiano ve. Si cuentas, mueres". Yentón el cristiano dijo que no contaría, yasí como dijo así luizo, pue e contar tenía que morir...

—Guá hom... —sigue asombrándose el viejo Matías—, siasí nomá dejuro ques, pue dinó, ¿comues que nunca haigamos hallao niun pajarito muerto así con muerte del mesmo?

El Silverio Cruz sopla la callana avivando el rojo fulgor de las brasas. Luego la deja a un lado, sonríe y mueve el checo y masca su coca con un aire de satisfacción.

Pero al Arturo le ha dado por ir contra la corriente, a ojos vistas:

—Güeno, pero siel cristiano no pudo contar y nua contao como dices, ¿cómo pa ber sabido dispués?

Ante la actitud meditativa de todos, concluye:

—Dejuro ques invención dialguien nomá...

—Puede que seya, tamién —afirma el viejo después de haber reflexionado un momento.

El visitante replica con cierta vacilación:

—Anque quién sabe lo contó enel sueño yentón nuera su culpa...

Sus interlocutores ríen socarronamente.

—No, no, qué va contar tuese cuentazo naides enel sueño...

Hasta el Adán ha sonreído, haciendo resplandecer sus dientes menudos en medio de su redonda carita trigueña. Desconsolado, el narrador acepta la objeción, aunque un poco a regañadientes:

—Será, entón, peruasí contaba mi mamita...

Y luego se despide. Ha de marcharse ya, antes de que obscurezca y la lluvia arrecie.

—¿Nua crecío mucho la quebrada?

El Silverio Cruz, que ve todos los días la quebrada porque tiene su bohío y sus terrenos junto a ella, responde seguramente:

—No, nua crecido mucho que digamos... Aura que anque crezca nuimporta, pue corre muy jonda y nuay salirse...

Con la callana bajo el poncho, entra a enredar en sus lomos los hilos de la lluvia y luego se pierde tras los árboles.

Un momento después, el cielo retumba de truenos, cae agua a chorros y el viento parece que gritara. El viejo anota la violencia creciente de la tempestad y dice:

—No seya cosa que la quebrada se salga... Ta cayendo mucho desmonte... ¿Oyen los perros?

En las otras casas del valle, los perros ladran y aúllan angustiadamente.

XII

LA UTA Y EL PUMA AZUL

Doña Mariana Chiguala es ya vejancona. Viste bayetas negras, vive al final del valle, por allí cerca al
Encarna, y cuenta una historia triste. A quien vaya a
verla le referirá, con amplios detalles y lagrimones
furtivos, cómo fue que perdió a su marido, quien, hace
muchos años, viajó a Huamachuco para vender cierta
cantidad de coca y ahí cayó enrolado para el servicio
militar y no ha vuelto más.

—¡Tal vez haiga muerto! —exclamará después, esta-
llando en sollozos.

Luego, refiriéndose a su situación, dirá que está
acompañada por su sobrina Hormecinda, una chinita
que por voluntad de los taitas ha crecido a su lado.
Si atardece, se verá llegar a la Hormecinda, chaposa y
azorada, arreando una manada de cabras.

Puede ser que doña Mariana, si quien le escucha
demuestra interés, relate las incidencias que prece-
dieron a su matrimonio —¡porque ella salió de su casa
a la Iglesia, a Dios gracias, sin vivir primero en inde-
corosa mancebía!— y luego haga el elogio de su marido diciendo que era un gran raumero y mejor balsero y tenía todas las virtudes de un cristiano juicioso.

Por último, si su oyente es de corazón tierno, le
abrirá el suyo propio y le dirá que vive muy sola,

pues la Hormecinda tiene "muy poco pensar toavía".

Las gentes dicen que el Encarna la acompaña a veces, cuidando de que no se entere su mujer, pero todo esto no pasa de los díceres. Lo que sí pasa es que cuanto forastero se hospeda en su casa, se queda allí tres días. Hay un celendino llamado Abdón que busca siempre esa posada. Él sabrá...

Bueno, el hecho es que yo tengo que ver con doña Mariana por lo del sustento. Cuando mis taitas murieron traté de cocinar, pero ésta es tarea que fastidia y quita el tiempo. Además quemaba las yucas y rompía las ollas. Cuando llegué a quebrar tres, fui donde esa señora. Ella es quien me cocina desde entonces y entra a mi huerta como si fuera suya para sacar yucas, ají y plátanos y cuanto hay. De otro lado, es una tentación. No es fea la tal: fornida, de gruesos labios, pechos aún firmes y caderas macizas, provoca por lo menos el consejo de los cholos, quienes me dicen siempre: .

—Entrale, hom...

Pero yo no le he dicho media palabra fuera del orden, pues, siendo vallino, no hay como irse a otro sitio y el enredo es para siempre. No todavía. En medio de todo, sólo yo sé que es la Florinda a quien deseo decirle alguna cosa, pero ella está siempre con los ojos en el suelo, sin mirar a los cholos.

Y ahora he ido a almorzar, como todos los días, y doña Mariana me conversa a la vez que me va repletando los mates.

—Con la tempestá será triste la noche pa usté...

—Sí, peruno siacostumbra y yanues mucho...

Y ella, buscando nuevos detalles:

—Conel silencio quiabrá, las víboras pueden dir a picalo... ¿priende candela?

—Cuando tengo güena gracia, priendo...

—Array..., prienda siempre su candelita...

Comienza á caer una lluvia fina, cenicienta.

Luego me cuenta que ella tiene mucho miedo, pues el puma ha venido, amparado en la obscuridad de las lóbregas noches de tormenta, a merodear por los alrededores.. Quizá ha dado vueltas en torno al redil. Las cabras balaron demostrando gran pavor y el Matarrayo ladró temerosamente sin atreverse, pese a que ella y la Hormecinda lo ajocharon, a ir más allá de la puerta.

En eso suenan las tres campanadas con que el Arturo, que es ya Balsero Mayor, pues don Matías está un poco enfermo, llama a los hombres de su grupo. Y me despido de doña Mariana para ir primeramente a mi bohío en pos de la pala.

—Poray bajan dos cristianos —me dice el Arturo apenas llego—, comues temprano han querer pasar...

Ya están con él los cholos Jacinto Huamán y Santos Ruiz, que ha reemplazado al Roge. Haciendo tiempo nos ponemos a revisar las palas para asegurarnos de que los mangos no están flojos. El viejo Matías sale al corredor regañando y quejándose del tiempo. Le duelen los huesos y, cuando llueve, menos que nunca le es dado balsear.

—¡Condenaos cristianos!, ni con aguacero dejan diandar y venir que los pasen —masculla moviendo coléricamente el checo.

Nos sentamos junto a la puerta y no pasa mucho rato sin que, saliendo de la lluvia, se presenten dos cristianos que ya no parecen tales. Saludan con voz ronca, al filo del corredor sacuden sus ponchos y luego se acercan a pedir posada.

—Nos darasté posadita, don Matish, mañana pasaremos...

—Quedensé, cómo no, quedensé... —responde el viejo otorgando la posada que nunca se niega.

—¡Dios se lo pague, ñor!

El Arturo, viendo que se fijan en nuestras palas explica:

—Pensamos que quedrían pasar luego...

—Biéramos pasao..., pero, ¡tan mal questamos!... ¡qué pandar coneste aguaceral!

En realidad, no necesitan justificar su retardo. Sus caras deformes presentan el aspecto más triste, sus cuerpos tienen movimientos pesados y su voz es como una queja de agonía. Los recién llegados son dos utosos, dos picados de uta, la enfermedad propia de los valles del Marañón, pero que hace más víctimas en los que no están en ellos sino de pasada. Primero, en cualquier parte del cuerpo, aparece una mancha rosada que después se amorata y revienta formando una llaga de la que brota pus. Finalmente, van apareciendo llagas por todo el cuerpo y la carne se descompone lentamente. Así, un hombre es un pudridero.

Los utosos se sientan a un extremo del corredor y miran la lluvia con ojos tristes y apagados, con ojos a los cuales se niega la esperanza. Una breve chispa los cruza cuando responden a la pregunta de don Matías:

—Nos vamos pa Huamachuco onde dicen quel dotor nos cura...

—Semos de Condomarca...

Tienen las caras amoratadas y sin facciones, como dos lonjas de carne. Hinchadas, parece que fueran a rajarse en hilos de sangre, pero no ocurre tal sino que se disgregan en escoriaciones y llagas purulentas a lo largo de las quijadas. La nariz carcomida de uno de ellos es sólo un hueco negro y la del otro se ha caído de un lado ya.

Don Matías se conduele de su mal, al que hay que atacar muy temprano para vencerlo, y pregunta si no emplearon "pomada e soldado". A su respuesta negativa que amplían diciendo que únicamente se trataron con hojas de llantén, mantequilla de leche de mujer y otros remedios que emplean los curanderos de su pueblo, don Matías recuerda:

—Mi difunto compadre Roque le dio luta y sechó tal remedito y sanó.

Luego comenta:

—¡Po qué será, qué diantre! Tuel tiempo quey vividoen Calemar, ques to mi vida, solua dos vallinos les picó luta yestoy cansao viendo quia los diotros sitios yen prencipal jalquinos, les da luego... ¡Po qué será!

—Po qué será...

—Dios quedrá —mascullan los enfermos, casi a un tiempo, confundiendo sus voces tristes. Y contemplan los árboles del valle cálido y ubérrimo con una expresión de congoja y rencor. Algo dramático y recóndito aflora a sus ojos murientes. ¡Si fuera el valle como la puna, libre de todo mal! Pero aquí, escondida entre esa vegetación violenta y lujuriosa, hay una planta a la que pica un mosquito, el que produce, entonces, la enfermedad a los hombres.

El Jacinto y el Santos se marchan despidiéndose hasta la mañana siguiente y yo quiero irme también, pero la vallina fraternidad de don Matías me retiene:

—Vamo, guacho, pa qué te vas a mojar en idas y güeltas e tu casa onde la eña Mariana y dispués pacá... Quédate más bien.

Cierra la noche y los huéspedes, igual que nosotros, se acercan al fogón donde humean las ollas. Uno de ellos está tomado. Están tomados por el mal enteramente y sus manos llagadas muestran una hinchazón de cadáver. Pueden sorber la sopa apenas a través de unos labios agrandados y pustulosos. Cuando mastican, parece que sus mejillas temblonas se van a desgajar y caer súbitamente al mate o al suelo. Y huelen mal, huelen a difunto.

—Dios se lo pague, ñor —dicen agradeciendo la merienda.

El Arturo trata de alentarlos:

—Dejuro que sanan... yo hey visto sanar cristianos utosos, puallá po Sartín... Mañana tempranito los pasamos pa que vaigan luego...

Y se marcha, acompañado de la Lucinda y el Adán, corriendo hacia su bohío cercano. El viejo y doña Melcha entran a un cuartucho y nosotros nos acomodamos en el corredor: ellos a un extremo y yo, en la tarima que fue del Roge, al otro.

La noche ciñe apretadamente el bohío y no deja ver nada, pero siento cercana, cierta, dolida, la compañía trágica de estos dos hombres que tienen un mal que anticipa la pudrición de la tumba, que es ya una tumba. La lluvia cae rumorosamente sobre un silencio hecho de sueño y de muerte. De pronto, la vida se queja aún desde uno de ellos. Dice una voz muy baja y apagada que no logra ocultar un hondo desconsuelo:

—Toy muy mal... me duele adentro... dejuro llega yel mal onde mi corazón...

Y en la mañana, después del yantar, vamos al río seguidos de los utosos. Caminan a nuestras espaldas con pasos menudos y calmos, evitando los movimientos bruscos, como si temieran que su carne fuera a deshacerse y caer.

—To la noche llovió yel río debestar hartazo...

—Dejuro, hom...

Pala al hombro, avanzamos por el callejón. De los árboles caen aún gruesas gotas. Y una niebla que nos humedece la piel se levanta envolviendo a Calemar como si todo el valle estuviera en ebullición a modo de una gran marmita. Suben, suben lentamente las nubes leves y blancas que se han de opacar arriba en los cielos para, en la tarde, caer hechas una furiosa tempestad.

El río se nos muestra después, turbulento y negro, rugiendo amenazadoramente. Tras la cortina de la niebla se ve borrosa la otra orilla. Ahora a empujar la balsa. Los utosos quieren ayudarnos, pero el Arturo lo impide, atento.

—Dejenló... sosiego pa ustedes, cristianos...

Y la armazón de palos resbala por las pulidas vigas de cinamomo y naranjo acondicionadas para este objeto y cae al agua, donde comienza a moverse y templar la soga con la cual la sujeta el Jacinto. Agitada por los tumbos en un sube y baja violento, parece que es muy débil y que el río la va a arrastrar fácilmente. Pero aquí estamos nosotros, los balseros de Calemar. ¡Aquí están nuestras palas y nuestros brazos!

El Arturo salta al medio y comienza a mover el cuerpo de un lado a otro, equilibrando el vaivén. Prieta de lodo está el agua turbulenta. Ha cubierto las playas completamente y no asoma ninguna piedra.

—¡Palos!, ¡palos! —grita el Santos de repente.

Algunos palos, vienen por el centro del río y pueden ser el anuncio de una palizada. Nuestro Balsero Mayor sigue sobre la balsa, pero, por su orden, esperamos a la orilla. Los utosos se sientan sin tomar en consideración el suelo barroso, y hablan en voz baja.

Y a lo lejos, confusamente en medio de la niebla, logramos distinguir una palizada que a medida que se acerca negrea y se destaca más, enorme y revuelta, haciéndonos comprender que toda resistencia hubiera sido inútil. Nos habría tomado en medio del río. Siguiendo pesadamente las ondulaciones de los tumbos, pasa un entrevero de palos y chamiza, que llega casi de esta orilla a la otra. Hasta la balsa alcanza la punta de un enorme tallo de gualango, fresco, verde aún, que le da un empujón violento. Hay pesados árboles de los que apenas asoman las ramas.

Cuando los últimos vestigios de la palizada están ya lejos, hacia abajo, el Arturo rompe el silencio en medio del cual la hemos visto pasar:

—Homs, a la balsa, a pasar luego... a ver, cristianos.

Saltamos a la balsa, pero los utosos no nos siguen. Uno de ellos se ha tirado al suelo largo a largo. El otro lo mira fijamente y no voltea cuando el Jacinto, que espera que ellos suban para hacerlo también, pues se halla en tierra aún reteniendo la balsa con la soga, insiste:

—A ver, cristianos, hay que pasar luego.

El que está tendido se incorpora lentamente, apoyándose en los brazos y nos dice con voz sorda y golpeada:

—¿Pa qué ya? Me llegó yel mal onde mi corazón...

Y cae como derribado por un golpe violento, hundiendo la faz en la tierra fangosa. El otro voltea al compañero cogiéndolo suavemente del hombro. La llagada cara se muestra llena de lodo. Un índice abultado y tembloroso encarruja uno de los tumefactos párpados. El ojo está yerto.

El indio se queda inmóvil. ¡Qué tormenta de desolación y pavor habrá estallado ahora en su alma! Pero la cara sin facciones, hinchada y llena de llagas amoratadas, no hace ningún gesto. Sólo su voz refleja un hondo quebranto cuando voltea hacia nosotros y nos dice:

—Ayudenmia sepultalo, cristianos... Haganmel bien...

Y he aquí que el cadáver ha sido puesto en el corredor de la casa del viejo Matías, sobre un lecho de hojas de plátano y yerbasanta. Un cordel sujeta las mantas que lo cubren, dando, desde el cuello a los pies, innumerables y apretadas vueltas. La cara desaparece bajo un pellejo de carnero.

Así baja a la tumba, por estos lados del mundo, todo difunto que haya llegado a ser tal, teniendo en torno a cristianos de corazón. El cordel no tiene por objeto ajustar las mantas solamente. Sirve de manera principal para que del cuerpo preso no pueda salir el alma a penar en la tierra, y se escape por la cabeza —que por eso la piel de carnero deja la coronilla descubierta— y vaya derecho al cielo a ser juzgada por Dios.

Doña Melcha y las mujeres del valle que han venido al velorio, se han puesto a pelar trigo en lejía. Los varones llegan trayendo coca, cañazo y guarapo, y se van sentando al filo del corredor. Se charla en voz baja, coqueando y bebiendo, cuando no se come de los mates que, de rato en rato, circulan llenos de yucas, mote y cecinas. Y es también dado escuchar al utoso quien sentado junto al envoltorio maloliente del cadáver, espanta con una hoja de plátano el enjambre de moscas que zumba alrededor de ambos, y dice:

—Pobre Damián, nua mereció tal muerte...

Luego calla un momento y después explica:

—Poquera güeno este cristiano ¡y venir a morir así!... poque siempres triste morir lejos e la tierra diuno, anque haiga güenos cristianos que siapiaden diuno y luentierren comues debío...

—Asíes, asíes, muy verdá —le responden los cholos que están más próximos.

Y el utoso continúa, con un tono triste y gangoso:

—Yel cristiano jué güeno pal trabajo... Enfermo questaba, una chacra e papas deja pa sólo aporcar yotra chacra e cebada ya logradita...

Luego cae en un largo silencio y únicamente mueve sus manos, agitando la hoja de plátano para hacer huir a las zumbonas moscas pertinaces. Cuando algún recién llegado le hace preguntas, contesta siempre de la misma manera.

—Nua merecío tal muerte...

Y sigue diciendo que es triste morir lejos de la propia tierra por mucho que los otros cristianos se apiaden y lo entierren como es debido.

Si olvida el detalle del trabajo, los cholos son los que notician:

—Que deja su chacra e papas...

—Que cebadita lograda tamién deja...

—Acau, el difuntito...

En la tarde arrecia el calor y el muerto despide un hálito nauseabundo. Una pestilencia que no deja respirar a gusto llena el bohío, por mucho que el viento renueve el aire sin tomar pausa. Aun las ropas se impregnan del fétido olor y los cholos, para ahogar la molestia, consumen cañazo medido en "dedos ralos". Cuando la noche llega, todo lo de beber se ha terminado y entonces el utoso saca unos cuantos soles de su talega de coca, los cuenta uno a uno hasta llegar a diez, y ruega que alguien vaya a buscar quien le venda el "juerte".

—Que todo seya comues debío, pobre Damián...

La sombra ha crecido y, en torno al cadáver, arden ya cuatro ceras —obsequio de doña Melcha— defendidas del viento por un improvisado parapeto de ponchos. Más allá, alumbrando escasamente el corredor atestado de concurrentes, hay dos callanas donde se queman mechas de sebo.

El viento bate las agonizantes luces y las sombras vienen hacia el bohío como dando saltos, para luego, cuando calma, ir a apretujarse en medio de un estremecimiento angustioso a unos cuantos pasos.

Algunos perros aúllan en la lejanía.

Después de la abundante merienda, ante la claridad

mortecina de las mechas, se sigue bebiendo y coqueando. El cañazo que en otras ocasiones se hace charla o
grito o carcajada o canción, ahora, ante un cadáver,
se hace silencio. Ajustado silencio de bocas que no saben lamentarse en muchas gamas. Ya lo hicieron simplemente y ahora sólo callar les queda hasta que llegue la hora del rezo.

Hacia un lado, el río ronca sordamente. Cercana, una
cigarra chirría incansable y la lluvia repiquetea sobre las hojas de los árboles. Los hilos de agua más
cercanos brillan como hebras de plata y más allá la
noche se extiende sobre el valle, negra y triste como
una mortaja.

Nuevos aullidos se escuchan y un perrillo que algún
cholo trajo se levanta y va corriendo hacia el cadáver,
lo husmea, luego ladra mirando las sombras y termina por dar un aullido largo y lastimero. Un chicotazo
de pavor sacude a los veloriantes y doña Melcha, que
ha estado en uno de los cuartuchos del bohío, sale
hablando atropelladamente:

—Recemos, cristianos, que lalmita haiga destar pe-
nando...

Las mujeres se arrodillan en torno al difunto y los
hombres hacen otro tánto, apretujándose. Las luces
proyectan agrandadas sombras de lomos emponchados
y cabezas hirsutas hacia la noche. Y la oración de
siempre asoma a los labios, ahora temblones de angustia: "ooouuuunnn... oouunn... oun... oooun...
ouuunnn... "ooouuuunnnmmmm... oouunnm... on...
ounnmmm... ameeeéénnn".

Es una música sorda y lúgubre, más triste que los
aullidos, las penas y la muerte, pero, sin embargo, al
conjuro de la fe ella consuela el alma. Cuando el rezo
termina, los cholos se sientan calmosamente, ya serenos, y los poros de cañazo vuelven a circular de
mano en mano y de boca en boca.

En uno de los cuartuchos, doña Melcha y las otras
chinas siguen rezando, pero ahora es por los "caminantes, navegantes, enfermos y pobres" cuando un
grito agudo llega taladrando la noche:

—Umaaaáa... umaaaáa...

Todos los perros del valle se alborotan.

—Umaaaáa... umaaaáa... —continúa el grito, tremante.

Los veloriantes cambian opiniones. Ha de ser el puma que, según dice doña Mariana, ronda hace algunas noches en torno a su redil. El Arturo va en busca de su revólver y, cuando retorna, seguido del Encarna, corre hacia abajo perdiéndose en la sombra.

—Umaaaáa... umaaaáa...

Los perros escandalizan en todos los tonos. Nos hemos olvidado del difunto y su alma para pensar tan sólo en la fechoría de la fiera. Y esto enardece y hace hervir la sangre. ¿Qué es un muerto ante la vida, ante la amada vida de los animalitos del hombre, a los que hay que cuidar y guardar a toda costa? Ahora comienza con las cabras y seguirá con los asnos y los caballos. El comentario se carga de furia y otros cholos, después de jurar por Cristo y las ánimas benditas, caminan también hacia la casa de doña Mariana, armados de garrotes y haciendo gestos decididos. La noche es muy negra y la fiera habrá huido ya, pero eso no importa cuando hay alma ardorosa y combativa.

Espaciadamente se escuchan ecos de voces y gritos y esperamos la vuelta de los cazadores con el alma en tensión. Cuando la mañana se anuncia en rosa y leche sobre las copas de los árboles, de las que caen rezagadas gotas de lluvia, los cholos retornan con la cara contraída en un gesto de decepción.

—Se juel condenao puma y llevándose una cabrita, pa peyores...

—Otra noche hay quesperalo...

El Arturo sentencia mirando su mohoso revólver:

—Los cinco tiros en la mera nuca.

Con el muerto sobre los hombros, claro ya, el día, hemos entrado al panteón y ahora estamos cavando la sepultura. Las mujeres rezan todavía en torno al difunto que ha sido colocado al pie del fragante ramaje de un naranjo.

El hoyo se ahonda en medio de un fresco olor de tierra húmeda y cuando ya no se ven brillar las palanas al arrojar la tierra, entre la cual amarillean algunos viejos huesos, salen los cavadores y desciende el muerto en un columpio de sogas.

El utoso despide al compañero con unos cuantos puñados de tierra que esparce lentamente de arriba abajo de la sepultura y luego las palas activan el entierro. Al poco rato queda un rectángulo gris en medio del herbazal del panteón. Una cruz de varas sin labrar es puesta finalmente. Con el tiempo, ella desaparecerá entre las yerbas y terminará por caer, podridas sus amarras y carcomidos sus maderos.

Volvimos consumiendo el cañazo que resta, y al llegar a la casa el utoso toma el poncho y la alforja del difunto y los suyos. Luego se despide:

—Hasta dispués... Dios se lo pague, ñores...

El Arturo le pregunta:

—¿Ya no vasté pa Huamachuco?

El interrogado lo mira sin decir palabra en tanto que él sigue aconsejándole:

—Vayasté pa Huamachuco, curesé... Si no tiene, lo balsiaremos sin cobrarle... Vayasté...

Haciendo un gran esfuerzo, después de pensar un momento, el enfermo se decide a explicarse.

—¿Pa qué? Yastoy pa morir... ¿A qué ya dir? Mi compañerito se quedó sin pasarel río y como que siento que no lo pasaré tamién... Más lejos de la tierra diuno ¡qué esperanza!

Y, tomando el camino de las alturas, agradece de nuevo:

—Dios se lo pague, ñores... Dios se lo pague...

Hacia Condomarca, a morir allí, en su propia tierra y sin pasar el río de estos valles tremendos que son la uta y la muerte. Las moscas van tras él, revoloteando en torno a su carne fétida. Avanza lentamente, sin volver la cara, apoyándose en un grueso bordón...

El puma vuelve a la noche siguiente. Y otra más.

Y otra todavía. Los cholos comentan sus perjuicios maldiciendo a la vez los garrotes y machetes inútiles, las escopetas que se atracan y los revólveres que no aciertan.

—¡Ta endañinada la fiera!

—¡Sia de cayer!

Entró al redil de doña Mariana, vez tras vez. El Encarna estuvo con escopeta al pie de un cedro, esperando toda la noche, y cuando llegó e iba a dispararle, el arma falló, escuchándose únicamente el risible golpecito del gatillo. El Arturo, que se hallaba acurrucado al filo de la empalizada, le hizo dos disparos, pero sólo consiguió matar dos cabras.

Entonces hay que almorzar las cabras y se va al bohío de doña Mariana, quien se ha esmerado en guisarlas a ver si los cazadores se sienten agradecidos y dan una batida en regla.

—Esta noche no sescapa —asegura el Arturo.

—Homs... —dice el Encarna al círculo voraz de cholos que rodea una gran lapa llena del guiso y yucas como una bandada de cóndores a la presa— homs... homs... (se atraganta con un gran bocado)... homs... les alvertiré quial puma como que lo vide azuliar... yera un azul que parecía como añil... ¡Quién sabes puma encantao!

El Simón Chancahuana, que fue armado de garrote que le resultó inútil, pues el puma pasó por otro lado —y cómo no, ¡con la astucia y la vista que tiene!— se ríe:

—¡Qué encantao niencantao!... Es la escuridá que luace ver así... Yo digo ques puma como cualesquier otro destos laos...

El Arturo no se explica, en realidad, cómo es que ha fallado.

—Siempre hei acertado con mi mogosito y la verdá que miace pensar enalgo malo cuando no le lograo...

Luego relata ostentosamente que, una vez, bajó un águila en vuelo de un tiro en el pecho y que, otra, le reventó la cabeza a una garza y que, cuantas quiere, a quince pasos tumba las paltas dándoles en el guato. Finalmente asegura:

—Sies puma comotro, desta noche no pasa...

Y llega la noche. El valle duerme bajo la sombra y la lluvia, pero en los predios de doña Mariana la angustia vigila. La Hormecinda, oyendo ladrar al Matarrayo, gime como un cabrito tierno sintiendo una honda pena por el ganado tras el cual está día a día, con los chivitos recién paridos a la espalda, prodigándole los cuidados necesarios, llevándolo y trayéndolo por esas laderas llenas de monte y chamiza. Y ahora ¡venir un ruin puma a destruirlo! Doña Mariana en silencio, conjurando a los santos y santas del cielo para que no permitan que sea un puma encantado. En el redil, las cabras corren de un lado a otro al menor ruido y, en un rincón, agazapado bajo los pellejos de las que él mismo mató, el Arturo aguarda con el revólver en la mano.

Rendido por la postura, calado por la lluvia, siente que las horas se prolongan indefinidamente. La obscuridad es intensa y apenas se puede ver una mancha gris, difusa, en el lugar de las cabras. El viento silba y, ¿llora alguien débilmente? El Arturo comienza a sentir una suerte de desasosiego, de raro y extraño temor. Sí, ahora se escucha un gemido agudo que viene y se va, se pierde y renace. ¿Es acaso el sollozo del alma en pena? Recuerda al utoso y las incidencias del velorio. Ese lamento ululante sólo puede ser de un alma en pena. ¡No cabe duda! ¿Y el puma? Misteriosamente le falló su puntería. ¿Acaso anda en ello metido el encantamiento? Y si así fuera, ¿no le sobrevendría algún mal? Casos ha habido de hombres que enflaquecieron sin saber por qué, a pesar de que comían mucho, pues tenían una hambre de buitre. Y después murieron... Y esos hombres contaban siempre de encantamientos de lagunas, de cerros, de ríos, de pumas... Y todo les había pasado en el atardecer o en la noche. ¿Y por qué no le podía suceder lo mismo?...

Y de pronto, sorprendiéndolo en sus lúgubres pensamientos, una mancha fugaz salta la cerca y las cabras se apiñan al otro lado, balando desesperadamente. El Arturo, tembloroso ante la súbita aparición, dispara y ve azul la noche, el rebaño y al puma mismo. Es un resplandor azul el que rodea a la fiera. El revólver sigue disparando, pero, ¿hacia dónde? La noche retumba con los tiros y los ladridos que corean las peñas, mientras el puma se aleja con un cabrito balante entre las fauces.

Cuando doña Mariana se asoma a la puerta, el Arturo ya está allí, acezante, ronco, y le habla con una voz que parece que le saliera de la barriga contraída de espanto:

—¡Azul..., azul es... puma encantao!

Calemar no duerme. El puma encantado recorre el valle en todas direcciones y pasa frente a todas las casas azuleando entre las sombras. Y cada día comete mayores fechorías.

Asaltó la majada de los Cárpenas, matando cuatro cabras por puro gusto. En un gramalotal amaneció tendido un asno al que había abierto el cuello de una feroz tarascada y devorado el pecho. Un perrillo que fue más osado que los otros murió también, pero éste de una dentellada que le destrozó el gañote. El puma azul siembra el terror y la muerte.

Los caballos y asnos duermen ahora a la puerta de las casas y los perros son golpeados para que se queden en los rediles, pero apenas sienten a la fiera, huyen a ladrar temerosamente, restregándose contra las piernas de los dueños.

Los escopetazos brillan como relámpagos en la noche, pero no hacen sino brillar. Y el revólver del Arturo ha pasado de mano en mano, para probar no más, inútilmente. Pocos son los que han visto refulgir los ojos del puma en la sombra, como sucede siempre, pero todos están seguros de que es azul, más azul que el cielo. Tiene un obscuro azul de río, pero brillante, encendido, mágico.

Y ya no son solamente relinchos, balidos, gritos y estampidos los que denuncian la presencia de la fiera. Hasta el rumor de la lluvia, el estremecimiento de las hojas, el silbo del viento y el bramido del río hablan ahora del puma azul.

Y los varones velan con las armas en las manos, cabe el refugio ahora muy feble de los bohíos, al lado de las mujeres que le piden a Dios por intermedio de la Virgen del Perpetuo Socorro, San Antonio y especialmente Santa Rita de Casia, abogada de imposibles, que destruya o aleje a la fiera.

Pero azulea la floresta al paso del puma encantado que va de un lado a otro, invulnerable y fatídico, destruyendo la vida. Ahora asalta a los animales que se le antoja y, ahíto, se contenta con romperles el cuello y sorberles la sangre.

¿No atacará a los cristianos de repente? ¡Todo es posible puesto que está encantado! Y la conjetura hace palpitar dolorosamente el corazón de los vallinos, en tanto que sus bocas profieren feroces juramentos.

A todo esto, el Arturo se encuentra mal. Dice que desde la noche en que vio por segunda vez al puma y cayó bajo el influjo de su resplandor, se siente débil y sueña siempre que una gran mancha azul se le acerca, y lo cubre, y lo ahoga.

Doña Mariana, abajo en el último rincón del valle, sabe Dios lo que hará. Ya nadie va en pos de ella para prestarle ayuda, pues, a raíz del fracaso del Arturo, cuando una tropa de cholos se apostó, al mando del Teniente Florencio, rodeando el redil, el puma asaltó tranquilamente otro. Y eso, sin duda, porque no quiso encantarlos a todos. Amplió su acción desde esa vez y hoy todos guardan, en la medida que pueden, lo suyo.

Mas doña Mariana ha hecho mucho. No ha estado con las manos caídas o simplemente juntas y orando. Ella aguaitó, noche tras noche, hasta darse cuenta del sitio bajo de la empalizada por el cual entraba la fiera dando un ágil y elástico salto. Entonces pensó en dos bastones de chonta que eran recuerdo del celendino Abdón y estuvo aguzándolos durante tres días sobre una piedra, pues su machete se abolló a los primeros golpes contra los maderos duros como rocas.

Y han quedado los bastones de chonta estacados en el lugar donde la fiera debe caer después del salto.

Es una noche lóbrega en que llueve y blasfema el río tumultuoso. Los hombres, metidos en la obscuridad de sus chozas, hacen sonar de rato en rato garrotes y machetes. Los perros ladran, pero las manadas están tranquilas. No hay ese balar angustiado que denota la cercanía de la fiera. Los caballos y asnos, amarrados con cuerda floja a los pilares y horcones de las casas, ramonean tranquilamente el pasto que ha sido amontonado ante ellos.

Doña Mariana, acuclillada tras la puerta de su bohío, vela teniendo a su lado a la Hormecinda, que no puede pegar los ojos desde que la fiera merma el rebaño bienamado. El Matarrayo está con ellas, pero su hocico no profiere el más leve ladrido, por el bozal ceñido que lo aprieta.

Y las horas transcurren lentas, silenciosas, porque el rumor de la lluvia y el rugido del río, tan monótonos, son considerados como silencio. "No sioye nada", secretea doña Mariana al oído de la Hormecinda. ¿El maldito puma habrá oteado el peligro?

La espera se prolonga y debe ser muy tarde porque algunos gallos cantan ya, cuando las cabras comienzan a balar y agitarse topeteándose contra los maderos de la empalizada. Ladran medrosa y coléricamente los perros y he aquí que, de pronto, se escucha un rabioso rugido. Las cabras del corral dan balidos en los que trema el terror, en tanto que el Matarrayo lucha por abrir las fauces y tiembla.

Y sí, sí: ¡ahora la fiera sigue rugiendo, ahora ha caído!

Doña Mariana siente como si un peso enorme se le fuera del pecho y la Hormecinda gime con sollozos entrecortados, agudos, ahogándose en el desahogo. Y en el redil continúa el balar de las cabras y rugidos espaciados que se van debilitando para crecer de pronto y hacerse furiosos, y finalmente volver a amenguarse.

¡Ha caído! Pero quién sabe no; puede ser que la fiera ruja únicamente porque se ha herido y, furiosa, se encuentre acabando con el rebaño. Apretándolo y confundiéndolo todo entre sus sombras, está la noche pesada, negra, violenta, una noche de encantamiento y brujería. No, no sirve ir al redil y será mejor esperar la mañana para que la luz revele el bien o el mal.

Los perros de las otras casas siguen ladrando y, al oírlos, las mujeres redoblan el fervor de sus oraciones y los hombres golpean los garrotes contra el suelo y hacen entrechocar los machetes con más fuerza, a la vez que gritan:

—¡Umaaaáa!... ¡umaaaáa!...

La noche entera aúlla.

Y la mañana tiene un tinte tenue todavía cuando doña Mariana sale con muchas precauciones y atisba por las rendijas de la empalizada. Allí está el puma y ha caído. ¡Dios de los cielos!

La fiera se ha engarzado en una estaca por la panza y, rugiendo, se retuerce inútilmente tratando de zafarse al advertir la presencia de la mujer. El suelo está hecho un charco de sangre y doña Mariana, con un furor que se le vuelve candela en los ojos, coge un garrote y penetra en el redil mientras la Hormecinda grita con todas sus fuerzas:

—¡Cayooóo!... ¡cayoóó!... ¡vengaaaáan!...

Los cholos, seguidos de sus mujeres, abandonan los bohíos y cuando llegan al redil de doña Mariana, ella está todavía golpeando el cráneo de la fiera, al que ha convertido en un bollo sanguinolento. Una gran piedra que levantan y dejan caer sus manos temblorosas lo hace reventar y los sesos saltan por todos lados. Pero acaso no sea suficiente: doña Mariana se arma de nuevo del garrote y golpea el hocico, el espinazo, las patas, la panza.

—Toma, dañino; toma, perjuicioso; toma, toma...

Y cuando al fin se percata de que el puma no se levantará más y de que hay mucha gente en torno suyo se yergue blandiendo el garrote y riendo a carcajadas:

—¡El puma azul... dizqué puma azul!

Sigue riendo y moviendo el garrote a pique de abrirle la cabeza a algún cristiano, y agrega:

—¡Sies como todos... medio pardo, medio amarillo... el puma azul!

Los vallinos no acaban de salir de su asombro. Si no fuera por doña Mariana, que es capaz de darle un garrotazo a cualquiera de puro gusto, la atención sería más intensa. Con todo, son sólo ojos para contemplar ese montón de carne herida que pasar tantas malas noches les hizo. El Arturo, al ver que no hay tal azul, se mofa del encantamiento y se siente sano de golpe.

—Jajajá... jijijí... jajajá... já... já... —continúa riéndose doña Mariana, la melancólica doña Mariana de otros días. Luego da saltos. Cualquiera diría que se ha vuelto loca.

XIII

EL DESMONTE

La yerba crece invadiendo los plantíos y apenas la lluvia escampa un tanto, hay que entrar a las huertas, lampa en mano, para empeñarse en una lucha silenciosa y tenaz.

La luz fulge en el acero de las herramientas, las caras lustrosas de sudor de los cholos, el plumaje de los pájaros que abandonan sus refugios y vienen a cantar otra vez, y las hojas de los árboles, jugosas y limpias.

Se logra al fin hacer que los arbustos de coca, yuca y ají hagan resaltar su verdor y vivan lozanamente sobre negros mantos de tierra removida; pero ahí no más, siguiendo el avance de los lamperos, surco a surco, asoma de nuevo la yerba renaciendo con indeclinable ímpetu sobre la tierra ahíta de agua y caliente por la profundidad de la encañada y la llama del sol, no por fugaz menos ardiente.

Y en tanto que la espalda se curva y la lampa remueve la tierra, sobre cualquier terrón, entre un herbal, desde la rama de un arbusto, alguna víbora prepara su salto. Hay que estar con el ojo alerta para esquivar el ataque y luego requerir una vara larga para terminar con el bicho. Reptan y se enroscan en los plantíos sierpes verdes, pardas, amarillas. Éstas van saltando de rama en rama, de árbol en árbol y

¡ay del que sea picado por ellas: puede ir despidiéndose!

Mas la escampada dura poco y la lluvia mete nuevamente a los cristianos a sus chozas. Y no queda más remedio que estar viéndola caer. El recuerdo del puma azul duró un buen tiempo, alegrando las bocas coqueras de los cholos. Con la lluvia en torno, se hizo memoria de las noches dramáticas, muchas veces, hasta que el tema se agotó.

Estos últimos tiempos no hemos tenido más preocupaciones que las del balseo y la desyerba, pero ya no es así desde que don Matías volvió del viaje que hizo a Bambamarca en busca de sal. Ha traído la nueva de un posible desmonte. Apenas descargó de su asno el costalito de sal, este viejo baqueano que está en todas y huele el peligro a leguas, dijo:

—Malespina me danesas laderas e la quebrada. Me cortan el gañote dinó se desmontan cuando llueva juerte cualesquiera día destos.

Y agregó, ante la concentrada atención de los que oían:

—Tuesas laderas tan toítas flojas, medias rajadas, sentidas comuespuma...

Los desmontes son de temer. He aquí que la lluvia afloja la tierra de las laderas de los cerros que, de pronto, en algunos trechos, no se tiene ya más y se desploma hacia las hondonadas y los valles. Su estruendo, en medio de la tempestad, se confunde con el eco de truenos lejanos y únicamente los perros distinguen uno de otro. Por allí por Ciónera, en años pasados, un pastor y su manada quedaron enterrados bajo una gruesa capa de piedras y lodo, en el fondo de una hoyada. Pero las peñas que rodean Calemar no se derrumbarán jamás y sólo hay el peligro de que el accidente ocurra más arriba, por el lado de la quebrada y ella, con caudal acrecido por la tormenta, arrastre la avalancha hacia el valle.

Don Matías, después de anunciar el peligro, se lamentó:

—Lástima quel Chusquito murió por apriender a

comer grillos, que dinó mi lanudito ladrara oyendo los desmontes.

Pero otros perros son los que han ladrado después. Estos canes nativos de ojos acuosos y lanas enmarañadas, están siempre junto al hombre —alerta el ojo y el oído— para anunciarle el peligro ladrando e inquietándose apenas un hecho salga de lo ordinario.

Y ahora, con el anuncio del viejo, los estruendos apagados por la tempestad y la lejanía hasta ser diferenciados únicamente por los canes amigos, hacen del invierno una jornada que cruza por nuestros pechos como un estremecimiento agónico.

Otra cosa es el invierno sobre el río. Con las palas en las manos, desde el filo de la balsa que sabe nuestra fuerza, sobre el agua que no ignora —porque es antigua como el río mismo— nuestra voluntad de lucha, reímos a la vida porque sabemos también reír de la muerte. Pero contra los desmontes no hay defensa. ¿Quién va a detener un cerro que cae, con unos cuantos maderos y una pala, por mucho que ellos estén manejados por los recios vallinos que no saben rendirse?

Con todo, habría que luchar.

Es una mañana como cualquiera otra, después de una noche de tormenta, cuando el viejo Matías se encuentra conversando con su mujer. Que el precio de la sal aumentó porque dizque la deslíe la lluvia en el viaje y la humedad del invierno en el almacén. Que las yucas van a dar buena cosecha. Que los cinamomos escasean porque los están cortando sin consideración.

El aguacero no escampa aún, pero cae con atenuada violencia, tendiendo una cortina rala y chorreando de los árboles al soplo del viento. La quebrada alborota despedazando sus abundantes aguas en los peñascales de la bajada, pero el Marañón, más crecido todavía, la recibe como si no se percatara de que llega a agrandarlo. Llenos están los cauces y los árboles y cañas de las orillas se estremecen bajo el ímpetu de la corriente, sintiendo que sus raíces pierden firmeza en una tierra cada vez más húmeda y deleznable.

—¿Yese cristiano don Osvaldo? —recuerda la vieja

Melcha, oyendo el rumor de la quebrada en creciente, signo de que en las alturas está lloviendo con violencia.

Muchas veces habíamos recordado a don Osvaldo, de quien nada se supo desde que se fue, pero ahora el viejo da algunos datos:

—Porai tará metido en alguna casa... En Bambamarca me dijeron que taba buscando minas y que siabía rodao su zaino...

Desayunando, doña Melcha repite al viejo el mate de cushal humeante y luego él se dispone, como todos los días, a sentarse a la puerta de su bohío, masca que te masca la coca, para torcer una soga o dar charla a cualquier visitante, cuando un ruido convulso y potente —cercano éste sí— llega a sus oídos simulando el redoble de un tambor húmedo.

Es un largo estruendo que lo hace ponerse de pie y mirar instintivamente las peñas. Ellas muestran, como siempre, la firmeza inconmovible de sus rocas y el viejo comprende que se cumplió lo que dijo, y echa a correr entonces y llega a mi choza y pasa a otras, gritando:

—¡Desmonte po la quebrada!... ¡Machetes y hachas!

Los pobladores se van pasando la voz y el valle se llena de gritos:

—¡Machetes!

—¡Hachas!

—¡Desmonteeé!

—¡Vamos pa la quebrada!

—¡Vamooóos!...

Los hombres corren a la quebrada con las herramientas en las manos, bajo la lluvia, por sendas lodosas, rozando los ramajes que chorrean agua. Se aglomeran muchos a una y otra orilla, rápidamente, y el viejo grita disponiendo las operaciones:

—¡Árboles pal suelo!

Se comienza en el lugar donde la quebrada toma el valle, cayendo de las peñas. Hachas y machetes producen una repetida crepitación, haciendo saltar en pedazos la base de los tallos. Fragmentos blancos vuelan

por el aire y los árboles gimen y se desploman. Cinamomos, paltos, gualangos, arabiscos, hasta cedros,
amontonan sus troncos y ramajes a cierta distancia de
ambas orillas.

El agua de la quebrada disminuyó un poco sin duda, porque se empozó momentáneamente frente al derrumbe pero ya parece que el cerro entero viene hacia
nosotros por el cauce. Avanza el agua en turbonadas
oleaginosas, cada vez más alta, cada vez más peligrosa,
porque trae lodo y piedras grandes y cascajo que van
llenando el lecho. Una mancha ocre y convulsa se
hincha impetuosamente y da la impresión de que todos los árboles del valle no bastarían para contenerla.
Ya arriba, al comienzo, corre hacia este lado, pues se
repletó el cauce y la capa de piedras y lodo se amplía
luego rebasando la valla que hemos tratado de formar
con árboles. Y ya la crecida se extiende aún más, ya
las aguas corren más dilatadas por las tierras del valle, sacudiendo los grandes árboles y doblando y de-
sarraigando los arbustos y cañabravas.

Al avanzar por el centro, el desmonte llena también el cauce entero y lo rebalsa, y cubre los sembrados. El Silverio Cruz, su mujer y su pequeño hijo
corren hacia su bohío y sacan de él apresuradamente,
depositándolos en una loma, envoltorios de bayetas, de
ollas, de herramientas. Y ya está sobre él la avalancha, y ya derrumba las paredes de carrizo y la armazón de horcones y varas que sostiene el techo, el que
flota un momento, pero después es revuelto en el
lodo. Cada vez más, las aguas toman anchura y los
cercos son vencidos y los plantíos desaparecen, quedando los árboles grandes en medio de ellas como si
siempre hubieran crecido así. Es el tiempo de ciruelas y caen millares de frutos rojos que son arrastrados
por un agua lodosa entre la cual se contorsionan algunas serpientes.

Hacia este lado y hacia abajo, porque el otro tuvo
mayor altura, el desmonte se desplaza hasta el Marañón cubriendo la chacra del Silverio y llenándola de
piedras.

El cholo no dice una palabra. Mira a su mujer y a su pequeño y luego a nosotros, como preguntándonos por qué ha tenido la mala suerte de que su huerta y su bohío desaparecieran así, pero sus labios están mudos.

El desmonte termina de volcarse y, con el correr de las horas, la quebrada va de nuevo labrando su cauce y juntando sus aguas. Al caer la tarde es ya una faja que pasa por el centro de la avalancha y mañana o pasado será un canal profundo otra vez. La lluvia va lavando el lodo y, unas horas después, hemos podido ver que la chacra de Silverio ha quedado convertida en un conglomerado azuloso de guijas y cascajo. Ya no se podrá sembrar allí porque remover hacia un lado todo ese pedrerío, es tarea imposible.

El cholo, su mujer y el pequeño han sido albergados en la casa de Jacinto Huamán. Cae una lluvia sosegada. A lo lejos ronca el río y de los campos viene el olor a lodo del desmonte. Conversando sobre lo que hará, el Silverio afirma.

—Aura seré balsero nomá.

Su mujer le pregunta por la casa.

—Larmaré ondiun terrenito que nues e naides y queda pa lao arriba e la cequia...

El rumor embravecido del río suena en los oídos del Silverio como una canción de serenidad y confianza. Y dice de nuevo, seguramente:

—Seré balsero, ¿pa qué más?

XIV

LA BALSA SOLITARIA

"Río Marañón, déjame pasar". El chapoteo terco y vigoroso de las palas nos recuerda el canto. "Río Marañón, tengo que pasar". Las mangas replegadas dejan ver los cetrinos y recios antebrazos. Jadean los músculos bajo venas abultadas y las palas se hunden rumorosamente tirando la balsa —a la ida o la vuelta— hacia adelante... oscilando sobre tumbos prietos, sorteando tallos matreros que se esconden bajo el agua dejando ver apenas alguna rama, venciendo rápidos y eludiendo escondidas rocas, crujiendo, tremando..., siempre hacia adelante.

"Río Marañón, déjame pasar". El torso elástico se curva un tanto sobre el agua. Las caras cobrizas se contraen en una mueca de decisión, y sobre ellas se desflecan crenchas negras y lacias, brillantes de sol o retintas de lluvia. "Río Marañón, tengo que pasar".

Y las rodillas dobladas como para orar, afirmándose en los intervalos de los maderos; y los maderos ya pesados, pues se han llenado de agua en el continuo trajín, y los pasajeros que van al centro mirando temerosamente el río hinchado, convulso, voraz, parecen decir todos a una: "Río Marañón, déjame pasar".

Ésta es la escena que se repite incesantemente.

Y he aquí que, cualquier tarde, hemos pasado a un guardia civil que va a Cajamarquilla, a un comerciante celendino y a dos indios. Llegando a esta orilla chorreaban agua, porque la lluvia comenzó a caer desde que arribamos a la otra en pos de ellos. Los pasajeros desean marcharse cuanto antes a su posada y lo hacen así apenas echan pie a tierra, pero nosotros hemos de sacar la balsa todavía. La hacemos resbalar por las vigas y, al poco rato, queda bastante lejos del río, y, por las dudas, atracada a un palto.

Y estamos por irnos también cuando vemos que, más allá del centro del río, pasa una balsa. No va al sesgo sino que avanza con las aguas hacia abajo y sobre ella no hay nadie.

Es una balsa solitaria que viene quién sabe de qué sitio y que irá a acabar sabe Dios dónde. Acaso el agua la lleve más al costado aún y la golpee muchas veces contra los pedrones que surgen en las orillas o los rocosos recodos y la desamarre y despedace. Tal vez llegue en momentos en que algunos balseros estén cruzando el río y ellos la atrapen, o puede ser también que alguien que nade en regla la vea venir en buen momento y se tire al río y la alcance. Pero ahora se encuentra ya a nuestra altura y nadar hacia ella sería tarea inútil.

Y ni un objeto sobre la armazón bamboleante. Aguzamos la mirada para distinguir bien y llegamos siempre a la misma conclusión. Ni un poncho, ni una alforja, ni un solo detalle que dé razón del hombre. Parece que viene de muy lejos y se ha humedecido mucho, pues el pardo de los palos tiene un matiz obscuro.

¿Qué le pasó? Acaso fue arrancada del atracadero por una súbita creciente. O cogida por una palizada y los que la tripulaban tuvieron que tirarse al agua y —nadando entre la congestión de palos y chamiza— murieron o salvaron según su destreza y su suerte. Acaso venían con ella río abajo y se estrelló contra un peñón o cayó en una chorrera o un remolino y por eso quedó sola.

La balsa avanza ondulando. Se aleja. Ya se pierde en la lejanía, empequeñecida por la distancia y la majestuosa amplitud del río. Por último se confunde en la obscuridad del crepúsculo y la turbiedad de las aguas y en nuestros ojos sólo queda una mancha.

Cuando llegamos a nuestras casas contamos el hecho y todos sentimos que la comida es ácima en nuestras bocas y que la vida entera se nos vuelve un responso, para expresar el cual nos faltan las palabras.

Solamente los hombres de estos valles, los cristianos del Marañón, sabemos y podemos comprender el rudo y trágico mensaje de unos cuantos maderos reunidos que van a la deriva, de una perdida balsa solitaria.

XV

EL RETORNO DE DON OSVALDO

Como para probarnos que aún vivía, don Osvaldo Martínez de Calderón cayó una tarde al valle, jinete en tordillo peludo al que en vano metió las espuelas para que trotara con un brío elegante. Venía con la cabeza por el suelo y el jinete con la suya por la de su bestia. Ten con ten, a tranco calmo y huachano, el tordillo dobló los quengos de la bajada, midió el callejón y se paró frente a la casa de don Matías.

El costeño tenía ahora un pañuelo modesto sobre el cuello, el vestido hecho basura y las botas hundidas en el lugar que rozan las correas del estribo. Sólo el revólver brillaba como antaño, aunque desde una funda fruncida y opaca. Cara y manos estaban desolladas por la helada y el chicote del viento.

—Llegusté, don Osvaldo, llegusté...

Desmontó lentamente a la vez que el Arturo se hacía cargo del animal y lo libraba de las riendas. Mientras le aflojaba la cincha, el caballejo suspiró largamente y sacudió entero su cuerpo peludo, cuya anca desgreñaba la gran quemazón de la marca.

—Es de don Juan el tordillo —dijo el Arturo viendo las enormes J P, puestas sin duda cuando el jamelgo era aún potrillo.

—Sí, pues —contestó don Osvaldo, sentado ya al filo del corredor—, él me lo ha prestado. Felizmente es una buena persona que me dio toda clase de facilidades. De lo contrario, tiro pata...

—¿Y el zaino? ¿Que se rodó dizque?

—¡Uf!, es largo de contar. Sí, se me rodó por ahí en uno de esos desfiladeros endiablados...

—Entón dejuro las novedades son hartas —apunta el viejo Matías guiñando el ojo pícaro.

—Claro que son hartas, esto no es para ir sin nuevas. ¿Y por acá?

—Hartas tamién, y dentre ellas quel Roge no volvió de Shicún.

El ingeniero frunce las cejas.

—Sí, pué, se lo comió lagua ondel cristianito...

El sol ha desaparecido tras los picachos del frente y una obscuridad creciente avanza por la encañada, a rastras bajo los ramajes. Los pájaros trinan buscando sus nidos y todo es invadido, poco a poco, por ese sopor lento que adviene en los valles del Marañón durante el crepúsculo. Una manada de cabras pasa por el callejón y dos chivos se detienen para empeñarse mucho rato en una pelea porfiada y monótona. La Hormecinda hace zumbar piedras cerca a los animales que quieren entrar a las huertas y el rebaño pasa balando y saltando para triscar las ramas de los árboles, hasta perderse tomando el sendero que va a su majada.

Don Osvaldo ha estado mirando a la chinita con marcada insistencia. Y hay razón. Quince años retozan en su cuerpo delgado y macizo, en el cual las caderas ondulan en una curva que la amplia pollera de lana no logra ya disimular, y los senos palpitan aprisionados por la blusa de tocuyo como en un entrecortado acezar de ansiedad. La cara alegre tiene un claro trigueño mate y los ojos son una negra noche con luciérnagas.

—¿Quién es esa chinita?

—La Hormecinda, pué, la sobrinita e ña Mariana...

—Me quedo en las mismas. ¿Y por dónde pastea las cabras? —sigue inquiriendo el ingeniero.

El viejo Matías tiene una risa zumbona y contesta:

—Ajá, puel campo, pónde más va ser...

Pero don Osvaldo replica muy seriamente.

—Es que por acá no parece que abunda el pasto y no las veo en los gramalotales, con los caballos y asnos...

El Arturo entiende que el ingeniero se está haciendo el zonzo y afirma:

—¿Qué? ¿No sabe que comen meras piedras?...

La Lucinda está en días de aumentar la familia y por eso el Arturo se marcha temprano a su bohío, en el cual se halla doña Melcha quemando quién sabe qué yerbas, pues hasta nosotros llega un humillo sutil de raro aroma. El viejo es quien ha cocinado y ahora sirve la comida, alegre de hacerlo muy propiamente, pues "el cristiano jugao debe saber e todo".

—Ah, don Osvaldo, y qué sia hecho puarriba tanto tiempo. Diabril pabril vienusté...

El ingeniero come ahora nuestras viandas con buen apetito y, después de masticar un gran bocado, responde:

—Ni yo lo sé. Al principio creí estar uno o dos meses. Después me he ido quedando un día y otro hasta que, ya ven... ¡cuánto tiempo estoy ya por aquí! Ni yo lo entiendo...

—Sí, pué, y nosotros que decíamos ¡qué le pasará que no llega, tal vez haiga muerto!

—Tienen razón, la vida es dura por acá. ¿Y ustedes?

—Pué como siempre. En el verano ya le dije e mi Roge y dispués pasó sin mucha novedá, perueste invierno, ¡Juasucristazo! Con decile que vimos tamién puma azul... El cholo Encarna salió con el cuento y dispués el Arturo también dizqué lo vio. Yentón ya todos lo vieron azul, azul...

El viejo relata la historia detalladamente y luego nos echamos a reír cuando el ingeniero advierte:

—Claro, con el resplandor de los fogonazos al Arturo le azuleaban los ojos...

La charla va de aquí para allá. El viejo recuerda todo lo importante que pasó y los comentarios y las suposiciones menudean. Las noches del Marañón, con su cálida oquedad tremante, invitan a la conversación mientras el sueño llega. Por lo demás, es un gusto acercarnos a nuestras peripecias, recordar los duros trajines y agregar retazos nuevos a la visión de todos los días.

Después de la comida, fue inútil pretender quedarse en el bohío. Una nube de zancudos viene a zumbar frente a nosotros y a hundirnos sus aguijones ardientes. El humo no basta para detener el asalto, y a don Osvaldo le puede dar terciana. Él ya no tiene toldo, pues se le fue al abismo con el zaino, y manotea sin cansancio tratando de aplastar los bichos. No podrá dormir tampoco, porque el zumbido pertinaz quita el sueño aun a los nativos. Bajo el toldo no importa oír la trompetilla llorona, pero cuando no se lo tiene, molesta hasta la exasperación.

—Nos diremos al río más bien... —aconseja el viejo.

—¿Al río? —exclama don Osvaldo.

—Sí —terció—, en la playa el viento se los lleva.

Cada uno carga un poncho y una frazada. Mientras caminamos seguidos del terco zumbido, el viejo explica al ingeniero:

—Estes su tiempo e los zancudos. En los aguales que dejel invierno, ay tan criándose po montones que no se puede ni emaginar. Cuando pasen unos días, estos bichos quiay aura morirán y los aguales se secarán, yentón quedarán los zancuditos e siempre, como pa que no se diga que nuay.

Al poco rato quedamos instalados sobre la arena de la playa, cuyo calor nos llega a través de las bayetas, pues todo el día ha ardido bajo un sol abrasador. Luna menguante brilla arriba entre ligeras nubes de algodón y el río murmura blandamente, invitándonos al sueño con su arrullo. Corre una brisa fresca que amortigua el bochorno y habla en secreto a las ramas de los árboles.

Nosotros mascamos nuestra coca y el ingeniero, después de escuchar un momento el golpe de nuestros checos, reclama:

—Pásenme coquita a mí también...

—¿Ya aprendió?

—¡Bah!, claro, si no es por ella me muero en la punta del Campana.

Sacamos nuestras talegas y coge de una y otra, llenándose la boca. Después de ensalivarla con unas cuantas vueltas, la abulta a un lado del carrillo. Ahora toma nuestros checos, nuestros mismos alambres caleros y parla a nuestra manera, haciendo sonar la bola húmeda entre las palabras.

—¡Ba!, don Oshva —se entusiasma el viejo Matías— quien apriende a coquiar puacá se queda. La coca lo güelve onde uno cristiano destos valles y destas punas...

La mano del viejo señala los peñascales que suben hacia la altura. La luna débil sólo puede hacer de ellos gigantescos bloques de sombra. Al pie, el río que corre frente a nosotros, es una faja de plata junto a la cual las piedras toman a ratos la forma de siluetas humanas.

—¡Quién sabe! Al principio me ha dolido duro, pero ya me estoy acostumbrando...

Estamos íntimamente contentos de que el costeñito chacche, esté ya como un mero vallino, pues así lo sentimos más cerca y hecho un hombre cabal para batirse con la fiereza de nuestra tierra. Al poco rato se revuelve en su lugar, poseído de una agitación que le parece rara. Son los efectos de la coca en los novatos. No cesa de hablar y mira al río con ojos que tienen un recién nacido asombro. Está viendo de nuevo este valle al conjuro de la hoja sabia.

—¡El río!, ¡sí, el río! —exclama.

El río está allí, a la luz incierta de la luna, haciendo tumbos bajos. Su espuma blanca es un encaje a lo largo de la orilla. El ingeniero vuelve los ojos al valle, a la floresta apretada y rumorosa. El susurro de las hojas es acompañado por el canto de los tucos. Algún búho distante lo inicia y los otros contestan llenando la noche de una ululación dolorosa.

—¡El río!, ¡sí, el río! —dice el ingeniero mirándolo nuevamente—. ¡El río, yo no lo pensé! Es enorme y tenaz y él es quien ha hecho todo esto, ¿verdad? Él, quien ha formado estos valles con su rugir furioso que ha espantado hasta a las moles tremendas de los cerros. ¡Él ha cortado los picachos y ha abierto los pongos! ¡Qué de centurias jugueteando por un lado y otro hasta hacerse un cauce y dejar a un lado los valles, para salir después por donde le da la gana y arrasar a los valles mismos! Si no fuera por ese peñón de arriba, ¿ustedes estarían aquí? ¡No, no estarían! Pero creo que algún día lo comerá también o una crecida gigantesca rebasará su altura y Calemar quedará convertido en una playa de guijarros. Con el correr del tiempo, crecerán gualangos y será como una de tantas playas, sin rastros de plantíos, sin rastros de hombres...

Nosotros pensamos que es así, que el río puede hacer eso y mucho más, pero no se resuelve a corto plazo el combate del agua y la piedra, y aquel peñón hasta el cual baja una falda del cerro es fuerte también y la pugna ha de durar una eternidad.

El ingeniero prosigue chacchando estrepitosamente:

—¡Todo esto es tremendo! He pasado muchas cosas y he buscado por un lado y otro. Compañías, y compañías grandes son necesarias para dominar esta naturaleza brava. Hay de todo, pero falta todo. Ya he visto bien. La hoya del Huayabamba, tradicional por su riqueza, requeriría un ferrocarril o una carretera que habría de bajar y subir por toda esta peñolería de infierno y costaría una barbaridad de plata. ¿Se imaginan? Hay minas también en la altura, ¿y las maquinarias? ¡Lo que he pasado buscando las tales minas, lo que he visto y lo que he oído!...

—Cuente, don Oshva, a ver, cuentiusté —reclama el viejo.

—Nada o todo... Bueno: pica y pica los cerros escarpados, comiendo mal, durmiendo mal. Un día se me rueda el caballo y me quedo sin toldo y la helada me quema. Otro día el cielo está claro y el indio me dice: "va llovere, taita". Me río y ordeno la marcha cuando, en plena cordillera, el cielo se pone negro de pronto y estalla una tormenta furiosa, con truenos y relámpagos, que nos impide avanzar y nos cala hasta los huesos. ¡No sé por qué no he muerto! Otro día estoy en Bambamarca y quiero salir de noche. "No, señorcito

—me aconseja el indio Aristóbulo, que era el Gobernador—, hoy es la noche que la quemada pena po tuel pueblo". Le replico que cómo un licenciado de ejército —porque el tal Aristóbulo es licenciado y tiene su poco de educación y más que todo cundería— que ha estado en la costa y ha corrido mundo, puede creer en tales tonterías. Él se cierra en la afirmación: "Asíes, señor, asíes, señor". ¿Saben ustedes? La quemada fue una mujer a la que hicieron morir en la hoguera...

—Sí, sí sabemos —respondemos a la vez.

Pero al ingeniero le pesa el recuerdo. Los tucos cantan lúgubremente y él siente un desasosiego que le recorre todo el cuerpo. Sus manos se mueven como buscando un asidero. Al fin rompe a hablar:

—Bueno; en el pueblo estaba de cura un tal Ruiz. Este cura tenía una mujer y un hijo ya mayorcito. Otra india de por allí, muy agraciada y con fama de bruja, se enredó con el cura también. ¿Se figuran? ¡Un cura haciendo todo esto!

—Puacá los curas sacan siempre mujer...

—Sí, sí, claro que por acá no les importa hacer todo esto y sin ningún recato. Así las cosas, un día la buenamoza mata un cerdo y el hijo del cura va a pedirle chicharrones. "Demiusté unito", ruega con esa manera que tienen y que a mí me da en los nervios. "Nuay, nuay", contesta ella, pero el chico insiste y al fin se los da. Se los come y luego va por allí y toma agua y se harta de purpuros verdes. El resultado es un cólico del que muere rápidamente. Entonces la madre ajocha al cura, dale y dale, y lo convence... Y el cura, en día domingo y después de misa, dice al pueblo que hay que quemar a la bruja, a la que ya había hecho apresar con el Gobernador. Todo el pueblo va al campo y trae leña y en la misma plaza se arma una gran pira. Están allí hasta las mujeres y los niños y es sacada la pobre mujer, que se desespera llorando y jurando que no lo hizo con mala intención, y amarrada de pies y manos sobre el montón gigantesco de leña. Fuego por los cuatro costados y ya tienen ustedes a las llamas voraces avanzando hacia la infeliz, que se retuerce en medio como una culebra, gritando que la saquen por el amor de Dios. Pero los indios, en lugar de sacarla, se arman de garrotes para acabar con ella si es que logra soltarse y salir. Y las llamas y la humareda ya la achicharran y la asfixian. El gemido de la víctima se silencia, pero los indios siguen echando leña, pues se les despierta un furor salvaje, incitados por la mujer del cura quien, pálida y desgreñada, clama diciendo que hay que acabar con la socia del Diablo. El cura, de pie a un lado de la hoguera, reza en voz baja y sus manos trémulas apenas logran pasar las cuentas del rosario...

El ingeniero se yapa coca y prosigue:

—Una hora después no quedaban sino cenizas. Desde entonces hay en la plaza un círculo árido. La arcilla quemada ha impedido el desarrollo de toda planta, de la más pequeña yerba. Es como la cicatriz de una llaga... Yo lo he visto...

—Tamién luemos visto...

—Bien: ¿creerán ustedes que yo no salí esa noche? Todo lo que les digo me lo contó Aristóbulo, mientras una noche muy negra se enduraba afuera, entre grandes ráfagas de viento. Avancé a dos pasos de la puerta y me volví. Me dio miedo. A medianoche me desperté sobresaltado, y creí escuchar gritos, quejas por el pueblo. ¿Qué será? ¿Acaso el rugido del viento? Pero palabra que parecía el llanto de una mujer...

El viento enfría nuestras sienes y el calor de la arena se ha aplacado. Sería bueno dormir ya, pero en nuestra alma hunde sus garfios la angustia y hemos de hablar algo todavía para encontrar una apacible orilla propicia al descanso. Ésta del río se ha frustrado con la remembranza de las penas. El viejo dice:

—Don Oshva, ¿quién sabe de las penas? Las almitas padecen cuando se van así y güelven pa que los cristianos las consuelen, sólo quia nosotros nos da miedo... Cuando hablamos dellas, vienen tamién. Puacá ai estar la brujita... ¿No sienten como que les da miedo?

Efectivamente, sentíamos un temor impreciso. Algo rondaba en torno nuestro, envuelto en un hálito misterioso, presente e impresente al mismo tiempo. Pero estaba allí, acaso mirándonos e implorándonos. La quemada, sin duda... El canto de los tucos se hizo terrorífico.

Don Matías aconsejó:

—Hay quiacer la señal e la santa cruz en el aire...

Hizo la señal de la cruz, cortando el viento con su diestra rugosa. Silenciosamente, el ingeniero extendió su delgada mano y lo imitó No hablábamos una palabra. Al poco rato, yo también hice la señal de la cruz. En medio del silencio, rezaban los árboles y el río.

La serenidad fue luego como un baño lento.

—Bueno, don Oshva, ¿no trabaja las minas? —precisó el viejo y sus palabras nos sonaron alegremente.

—¡Quién sabe! He pensado que llevar maquinarias hasta arriba sería muy difícil y se necesitaría mucha plata. Quiero mejor dedicarme a los lavaderos de oro de este río, que don Juan Plaza me dice que es muy rico...

—¡Um!, don Oshva, si lavando como Dios nos ayuda, juntamos oro cuando queremos... No sólo en la playa sino en esas chacras, por toítas partes hay...

—Sí, voy a recorrerlo un poco y a hacer mis análisis. Llego a Lima y convenzo a esos platudos. Se puede formar una empresa para explotarlo en regla, una compañía que se llamaría, por ejemplo..., sí..., por ejemplo... La Serpiente de Oro, ¿qué les parece?

—Ta güeno, don Oshva...

El ingeniero explica:

—La Serpiente de Oro, porque el río, visto desde arriba, desde el cerro Campana, pongamos por caso, parece una gran serpiente... ¡y como es tan rico! El nombre resulta apropiado y sugestivo, ¿verdad? ¡La Serpiente de Oro! La compañía traería maquinarias, dragas y se haría un trabajo en forma. Ustedes ganarían vendiendo lo que producen: yucas, plátanos, etc., y trabajando como operarios... Nos llenaríamos de plata. ¿Qué les parece?

—Ta muy güeno, don Oshva, siesto no quiere dinó que los cristianos sepan el trabajo en grande...

—¡La Serpiente de Oro! —repite el ingeniero—. ¡La Serpiente de Oro!...

La luna se ha ido ya, y todo es cubierto por las sombras, que se adensan progresivamente. Se ve difícilmente el río y los árboles del valle forman una negra mancha. Algún caballo relincha a lo lejos, sin duda el tordillo, y sólo se oye después el murmullo del río y las hojas, acompañado del canto ululante de los búhos.

Nos vamos quedando dormidos bajo el tul agitado de la brisa y sentimos que el ingeniero se revuelve entre las sombras, acaso viendo brillar ya en sus manos el rutilante polvo de oro. Murmura despacio:

—¡La Serpiente de Oro!

XVI

LA SERPIENTE DE ORO

Cuando despertamos, al amanecer, don Osvaldo no estaba con nosotros. ¿Qué le pasaría? Sus mantas aparecían allí, bien dobladas, hablando de un alejamiento juicioso. Sin duda fue a dar un paseo por el campo, aprovechando la frescura del alba. Y sin entrar en mayores conjeturas, nos marchamos a nuestros quehaceres.

El sol se halla muy alto ya, cuando veo venir al ingeniero por el caminito que pasa ante el cerco de mi huerta. ¡Ha cambiado mucho don Osvaldo! Antes, resaltaba ante nosotros y ante el paisaje. Tenía, amén de sus ropas nuevas y sus arreos flamantes, algo interior que le daba cierto aire de encontrarse por encima de cuanto veía. Ahora, ya no. Está a tono con todo y hasta camina un tanto encorvado y con pasos bruscos. En este momento parece que el valle le es familiar y que no lo repudia ni lo deja a un lado como a un extraño, sino que lo toma para sí, que lo adhiere al paisaje, que lo amasa a la tierra. No sé bien qué es lo que pasa, pero hasta a su barba rubia no se la nota rubia. Y si anoche estuve alegre de su cambio, hoy me atrista un poco, pues tengo la impresión de haber visto su destino, que es destino de hombre que muere a medio viaje por no saber plenamente el punto de llegada y haberse olvidado mucho del de partida.

Yo estoy cortando una cabeza de plátanos y él me distingue y se acerca a ayudarme, acompañándome hasta mi choza.

Se sienta en un pequeño banco que encuentra a la mano y responde con breves palabras afirmativas cuando le pregunto si fue a dar un paseo. Luego calla y toma un aire de estar pensando en cosas muy serias. ¡Será en su compañía, sin duda!

En silencio ve que alineo la cabeza de plátanos junto a otras muchas ya en sazón, que cuelgan en el corredor. Tiene la cara pálida y ha dejado caer los brazos con un gesto de cansancio. Continúa callado mientras come los plátanos que le invito y luego me pide agua, que bebe a grandes tragos de un poro nuevo que pongo en sus manos.

—Hasta luego —dice, parándose bruscamente y tomando el camino.

—¿Cuándo va pa los lavaderos?

—Quién sabe esta misma tarde.

Pero no se movió de la casa de don Matías la misma tarde. Ni la del día siguiente. Una semana entera ha estado hablando de su gran empresa y haciendo proyectos. En las noches —cuenta el viejo— abandonaba la tarima del corredor en la cual dormía y no retornaba sino al amanecer. Mas ahora sí parece que se va. La partida ha sido fijada en definitiva para el día siguiente y ha contratado al Pablo y al Julián a fin de que le presten ayuda.

Y es un amanecer claro y alegre cuando el ingeniero se dispone a marcharse a explorar el río. El sol ha surgido a un cielo intensamente azul, moteado de raras nubes blancas, inundando el valle de luz. Cantan los pájaros y el río murmura apaciblemente. De la tierra brota un vaho fresco y fragante y los árboles muestran una lozanía jocunda.

El ingeniero ha tomado el desayuno charlando con entusiasmo, contagiado de la vigorosa y brillante plenitud de este día abrileño. Ya están aquí sus acompañantes y se disponen a irse cuando la Hormecinda pasa por el callejón arreando las cabras hacia los montales. Là chinita se aparta del rebaño y avanza hacia nosotros saludando con su voz tintineante, el sombrero en la mano. Luego llama a don Osvaldo' hacia un lado y le entrega un pequeño envoltorio, en tanto que su faz trigueña se arrebola y en sus ojos tiembla el llanto. Después dice temerosamente:

—Su fiambrito, señor...

Y se marcha con paso ligero y menudo en pos del rebaño, al que sigue, cuidando de que no penetre a los sembrados. Don Osvaldo se la queda mirando un buen rato y, cuando voltea hacia nosotros, vemos que tiene la cara intensamente pálida. Su única palabra es para el Pablo y el Julián:

—Vamos —les dice con voz ahogada.

Cogieron sus alforjas y se pusieron en marcha. El ingeniero metió el envoltorio en la suya y pasó ante nosotros, casi de largo, despidiéndose parcamente:

—Hasta la vuelta... Muchas gracias.

Tiempo después contaron los cholos que, una de las primeras noches en que acamparon junto al río, don Osvaldo no pudo contenerse más y les dijo:

—Por duro que quiera ser uno, ciertas cosas conmueven. Respondan: ¿me querrá la Hormecinda?

Ellos habían contestado que sí, puesto que hasta trataba de ayudarlo y el ingeniero no pudo pegar los ojos en toda la noche.

Don Osvaldo fue rápido en su trabajo. Muchos días estuvo, río arriba, examinando arenas y empaquetándolas. Daba buen resultado todo el lecho. En los remansos había una cantidad prodigiosa. El reguero de oro no acababa probablemente sino en Pataz y acaso más arriba.

Y estando de regreso a Calemar, una tarde en que el aire hervía como metal fundido, se detuvieron en una playa de gualangos para eludir el sol bajo el ramaje.

Se hallan contentos: los cholos con los buenos soles ganados fácilmente; él, con las muestras listas y los resultados óptimos. Se aleja de ellos hasta perderse tras unos arbustos para reaparecer como su madre lo echó al mundo. Entra a un remanso donde se zambulle y nada. Es una alegría la caricia de las frescas aguas diáfanas. Los cholos, sentados al pie de los gualangos, miran a otro lado para no avergonzar su desnudez, y él, en pago, sale mofándose en alta voz de sus remilgos. Se viste rápidamente y, refrescado por el baño, siente una completa placidez aquietándose bajo la sombra, de modo que toma asiento al pie de un copudo higuerón de grandes hojas, abiertas como manos ante el sol.

Su cigarrillo da al aire una voluta que se funde en el reverbero luminoso y, entre un chirrido de cigarras, llega a sus oídos solamente el monótono tactac de los checos caleros y el apagado rumor del río adormecido. La sombra es húmeda y enervante. Es grato pensar y hacer proyectos en un momento así...

Irá a Lima y formará la compañía. A esos capitales que duermen en las cajas bancarias, él los hará salir a desperezarse y multiplicarse en este lecho pródigo. ¿Y Ethel? El recuerdo de la muchacha con la que tomaba cocktails en el Country, le produce una sensación especial. La advierte más que nunca fina y bella y siente que sus besos de menta y su olor de Coty le sabrán extraña y dulcemente, después de la coca y la áspera fragancia de estos valles. ¡Qué sensación de raso en sus labios de sangre, bajo los suyos, rajados por el viento y el sol! ¡Qué magnífico asombro en sus ojos azules cuando él le cuente su odisea por las sierras bravías! Sí: será rico y se casarán. ¡Qué euforia la de su cuerpo elástico entre las limpias sábanas, allá, frente al mar, en una casita linda y en plena civilización! Ethel tiene los senos redondos y el talle flexible. Se dará a él en una entrega rendida y plena, civilizadamente, no como esas cholas a las que hay que domar como a fieras y luego, aunque se rindan, producen siempre una sensación de ausencia. En cuanto a la Hormecinda, no había que ser sentimental. Ya se arreglaría ella con cualquier cholo de por aquí. Llegará a Calemar y saldrá para Lima inmediatamente, sin dar lugar a mayores detalles. Después de todo, las lágrimas conmueven siempre. No, no dará ocasión para que llore en su presencia. Bueno: Ethel será su mujer y seguramente un niño vendrá, en fin...

Pero habrá que formar la compañía primeramente. La Serpiente de Oro ha de prosperar. Él les dará ejemplo a esos muchachos limeños que se quedan en casita, mendigando empleos del gobierno para curvarse ante una mesa y los "padrinos" toda la vida. Podría ser como Juan Carlos que, debido a influencias, desempeña desde Lima la inspección de un provinciano camino que no existe, pero no... de ninguna manera..., ¡él será el abanderado de una cruzada en favor de una vida intensa y viril, con brillo de sol montañés en la frente y brillo de oro entre las manos! ¡La Serpiente de Oro!...

Mas después de tan bellos proyectos le entra una desazón cuya causa no puede precisar. ¿Qué? Y echa a pensar en su situación, en haber cambiado tanto, llegando hasta a mascar coca y dormir con los cholos, y a sobrevivir con una rara reciedumbre a las penalidades, y a creer aún en cuentos de penas. Y advierte que ya no es el limeño de otrora, sin ser tampoco un hombre del Marañón. Y nuevas dudas vienen a roer su entraña dolida. ¿Volverá? ¿Se irá? Todo lo que le rodea es tremendo, sorpresivo, y no sabe él mismo de los abismos que ha atravesado en cuerpo y alma, ni de los que podrá cruzar todavía. Y luego piensa que el hombre cuenta poco en estos mundos y dice, hablando en voz baja, para sí mismo:

—¡Aquí la naturaleza es el destino!

El sol ha caído y hay que proseguir la marcha. No restan sino cuatro horas de viaje hasta Calemar. El joven se incorpora llamando a los indios:

—¡Ey!...

No dice más, pues da un salto al sentir una punzante mordedura en el cuello. Se vuelve ante algo que le chicotea el hombro y logra ver una serpiente amarilla, delgada y ágil, que ha saltado al higuerón y se va entre los árboles, pasando rápidamente de una rama a otra, perdiéndose en la espesura. Como una cinta de oro ha brillado sobre las hojas...

Don Osvaldo se agita, llamando a gritos a los cholos, que llegan corriendo:

—¡Una culebra!... ¡una culebra amarilla! —les dice—. Se fue por allí...

Su mano tiembla al señalar los ramajes. Los cholos miran la espesura sin demostrar afán de encontrarla, pues saben que no lo han de lograr.

—¡La víbora, señorcito, la *Intihuaraka!*

El ingeniero se desespera silenciosamente. Si alguna vez se siente solo e impotente el hombre, es cuando una víbora artera lo envenena en esos rincones abruptos de las encañadas del Marañón. ¿Cómo curarse? La presencia de otros hombres no vale nada. La soledad de un cuerpo emponzoñado y muriente es lo único cierto. Una quemazón progresiva se le extiende del cuello a la espalda. Los cholos no saben qué hacer: ni limones, ni hierros candentes, ni tizones. Tal vez cortando la herida, pero sus cuchillos son muy toscos.

—Su cuchilla, señor...

El ingeniero registra en todos sus bolsillos atolondradamente y al fin la hace salir de uno de ellos. El Pablo la coge y dos cortes despiadados signan con una cruz el punto de la picada. La sangre fluye abundantemente exprimida por las rudas manos de los cholos, pero don Osvaldo siente que los pies se le adormecen y aún sus mismos brazos, sus mismas piernas, su mismo tórax, no responden con el dolor de la vida a sus pellizcos angustiados.

Dentro, le chicotea la víbora de la desesperación. Es bien estúpido esto de venir a terminar así, ignorado y solo, en un mundo miserable y salvaje. Sí: ¡miserable y salvaje en medio del oro regado! ¿Cómo salvarse? ¿Cómo? No sabe qué hacer con sus manos laxas y esos pies embotados no le sirven ya ni para sostenerse.

Se tira al suelo temblando, mientras un sudor frío le corre en gotas oleaginosas por la cara contraída y pálida. Cruzan sombras ante sus ojos. Los cholos lo contemplan en silencio: el Pablo limpiando la fina hoja ensangrentada, el Julián mascando su coca y moviendo el checo. Saben que todo auxilio es imposible por tardío y esperan la muerte del joven impasiblemente. Él está pálido como si hubiera muerto ya, pero respira ruidosamente y sus miembros tiritan y se contorsionan. De pronto se queda rígido. Su boca se contrae por última vez y sus ojos se dilatan, como si fueran a saltar de las órbitas, tratando de ver algo entre los borrones de sombra. La caja del tórax se aquieta. Ya se apagan los ojos, vencidos. Lentamente, mientras grazna la muerte en las entrañas, los párpados se juntan como puertas que se clausuran.

—¿Murió?

—Acau, ya murió...

El Julián y el Pablo lo hicieron llegar a Calemar sobre una armazón de varas, cubierto con ramas. El cuerpo se le había puesto negro. Al otro día, después de la noche de velorio, lo enterramos.

Sí: ¡la serpiente de oro!

XVII

COCA

Frente a mi choza ondula al viento el plantío de coca. Los arbustos se mecen mostrando el anverso y reverso de sus hojas en vastos oleajes. Es un juego tenaz de verdes pálidos y obscuros, que llega a marear mis ojos fijos, prendidos al vaivén en tanto que mi cuerpo se aovilla sobre una piedra, sintiendo caer la tarde entre un olor intenso. Es el de la coca que está secándose en los buitrones de los otros sembradores. Ha llegado el tiempo de la rauma, pero yo no me decido a efectuarla todavía: tengo las manos trémulas y en el cuerpo un mortal desasosiego.

Y ahí está mi cocal, ondulando, ondulando frente a mi desgracia, ondulando como si quisiera decirme algo. Los frutos atraen a las torcaces, que invaden el plantío picoteando los pequeños puntos rojos y cantando de igual manera que lo haría mi corazón. Este canto melancólico sale de mi pecho o entra a él, es de las torcaces o mío, pero es uno solo. Antes era yo el primero en raumar, en secar la coca y encestarla para luego cargar con ella los asnos y marchar a los pueblos a venderla. Pero ahora estoy laxo y sin voluntad y si me turba el oleaje del plantío y encuentro el canto triste de las torcaces como mío, más me confunde, mucho más, esta coca que masco tercamente y siempre me sabe amarga.

Ha sido así desde un buen o mal día. Así.

La Florinda estuvo triste mucho tiempo. Después volvió a cantar y yo soy, sin duda, quien oyó su primera canción.

Una mañana voy a los carrizales que crecen arriba, junto al río, al pie del peñón donde se inicia el valle, a cortar cañas para antaras y oigo un canto claro que se extiende como la luz del sol. Me gusta, y lo rastreo, igual que el perro al dueño, para ver quién lo canta. Es la Florinda que, después de lavar, se ha desnudado y se baña. Las camisas, empenachadas sobre los carrizos, bostezan un vaho húmedo.

La Florinda es un cedro tallado hembra. En los huertos cercanos los árboles grávidos hacen oscilar sus frutos blandamente. La Florinda sigue cantando y yo siento que canta en mi corazón para siempre, con un canto de piedra y agua viva sobre ella. Con un canto de río.

El Marañón tiñe su cuerpo núbil con un azul de inmensidad. Viene el viento y el carrizal es una antara de mil voces. La Florinda sigue allí, desnuda, en medio de la naturaleza que la rodea en un gesto de admiración. Hasta las peñas rudas la atisban afilando sus salientes. Su carne tiene el color de la arcilla cocida. Sus muslos son fuertes, el vientre combo, y los senos se yerguen inhollados y henchidos de vida bajo la luminosa sonrisa de sus labios carnosos. Sus grandes ojos pardos, bordeados de las ojeras azulencas que tienen las mujeres de estos valles, miran distraídamente las ágiles manos que chapotean y juegan con el agua clara de mayo.

Yo me he ido acercando quedamente entre el carrizal.

—¡Florinda! —grito con una voz que nunca me he escuchado.

Se asusta y gana la orilla cubriéndose con la ropa de cualquier modo. No sé qué mirada tiene para mí: si mirada de paloma, o de tuco, o de víbora. Y estoy yendo hacia ella, agazapado como un puma, cuando alguien llama:

—¡Florindaaaáa!...

Corro por entre el carrizal hacia abajo y, saliendo a un lado, me pongo a machetear furiosamente. Las cañas caen a cada trino de la hoja rápida. Ha sido el taita, don Pancho, que se acerca con un atado.

—Puacá estará la china Flori...

—Porai oigo un canto.

—La mama le mandesto pa que tamién lo lave...

—Porai ta, dejuro...

—¿Y vos? —pregunta el viejo afilando una sospecha en el destello fugaz de sus ojillos suspicaces.

—Puacá, cortando carrizo a ver si armo antaras... Los bambamarquinos siempre quieren...

—Ajá, ta güeno, hom...

Don Pancho se aleja silbando y tropezándose en las raíces de los carrizos.

Desde ese día soy yo mismo y soy otro. Me siento solo en esta choza. Chaccho sin descanso y la coca me amarga. ¿Se asustaría de veras la Florinda? ¿No sería que solamente se sorprendió? ¿O se enojaría? La coca, que consuela siempre, me da una pena atroz y un angustiado tremor se ha apoderado de mi carne y de mi alma. Doña Mariana dice que "dejuro mia dao un mal aire" y con los Romeros y todos los cholos no puedo conversar igual que antes. Hoy estoy solo para mí mismo y ni para mí mismo: para nadie.

En las noches, el canto de los tucos me da miedo. ¿Será verdad que anuncian la muerte? Claro que hemos de morir, pero no si ellos cantan, que de ser así ya no existiría nadie en nuestro valle, pero ni este razonamiento me salva. Cuando entre la sombra comienzan a acompasar su canto lúgubre, no quisiera estar solo. Siento que la sombra agita contra mí trágicos signos en sus entrañas y que el canto de los tucos me lo advierte. No, no quisiera estar solo.

Y la coca amarga, siempre amarga. Ni el sueño viene.

A ratos pienso que tal vez la mañana, con su luz esplendente y su alborozo de pájaros felices, me va a devolver la tranquilidad, y la alegría de siempre va a correr por mis venas. La alegría de vivir, de sembrar y cosechar, de cruzar el río una y otra vez, de oír el vasto murmullo de la floresta y el correr imperturbable de las aguas eternas... Mas la coca amarga y la coca no miente. Algo malo se planta ante mi paso.

Pero acaso no. ¡Qué no sabrá la coca amauta! Seguro es que mi coca solamente me hace vigilar los momentos, otear la vida a fondo, rastrear huellas que ignoro. La hoja es sabia y puede ser que me diga lo bueno cualquier día y yo encuentre mi calma en toda su plenitud.

¡Así amanezco y anochezco muchas veces. Pensando en mi coca, preguntándole a mi coca amarga, pidiéndole consejo y esperando que endulce mi boca con aquella dulzura que es el milagro!

Una noche quiero salir. Ir hacia alguien. ¿Es hacia la Florinda? Sí, la coca me hará ir hacia la Florinda. La he espiado muchas veces, pero nunca ha estado lejos de su casa ni sola. Ahora solamente quiero ir donde ella y raptarla, y poseerla en medio del campo, y morir. Dirían que Lucas Vilca estuvo loco, pero no me importa nada. La coca me amarga. Voy. Coca: mátame o dámela. Guíame.

Salgo y miro a todos lados sin distinguir más que una noche negra. Una estrellita titila arriba, lejos, muy lejos, y echo a andar sin saber por dónde. ¡Florinda! ¡Florinda! La coca me amarga. Algunas ramas me arañan la cara. Tuco: sigue cantando, porque ahora tu canto no es en balde. Ése es el carrizal, porque suena como una antara con el viento. Y ése es el río. Y éste es el sitio. Aquí estuvo la Florinda, escondiendo su cuerpo a mis ojos ávidos. Y también estuvo allí, desnuda, entre esas aguas que hoy apenas dejan ver ondulaciones prietas.

¿Por qué no me hablas, coca?

Mi lengua se pega largo rato a la bola húmeda y amarga.

No me la niegues, hoja de nuestros mayores. No me amargues. Háblame dulce, con la dulzura de los panales y los frutos maduros. Mi taita contaba que al de él le hiciste ver su suerte, ¿por qué no a mí, entonces, que te pregunto de la mañana a la noche y de la noche a la mañana y no me canso de esperar? ¿O es que ya has respondido con la amargura y estoy faltando a tu mandato con mi insistencia? Pero no quiero arrojarte de mi boca, sin duda, porque tú no lo quieres...

Así le ruego junto al río. Así le ruego mucho rato.

Y de pronto la punta de mi lengua se enerva sintiendo miel y mis nervios se estremecen con la emoción del envío. ¿Y qué es aquello que surge de las aguas, que se aquieta entre ellas como un cuerpo muerto y, sin embargo, luminoso? Ahora se yergue, ahora está en pie, con los muslos cubiertos hasta la mitad por las ondas. ¡Es la Florinda! Está allí con sus senos erguidos y su boca fresca y sus grandes ojos pardos entre un halo de luz. Corro hacia ella, que se encuentra desprevenida y jugando con el agua, pero caigo y siento que un frío intenso me penetra por los oídos hasta el cerebro. Al levantarme, la Florinda ya no está. Se ha ido, me la ha quitado el río, porque el río es matrero. ¡Florinda!, ¡Florinda! Pero la angustia ha desaparecido de mi corazón y salgo del río calmosamente, con los nervios serenos y apagada la hoguera de mi carne.

La coca se puso dulce para hacerme ver a la Florinda y el río me la quitó. Sí, la coca me la ha dado. Puedo estar en paz. Ya me dio paz. Vendrá a mí algún día, a darme su cuerpo como un campo nuevo.

En mi choza sigo coqueando y oigo el canto de los tucos como si fuera el canto de la lluvia. Mi boca se adormece y una dulzura sutil me penetra hasta el cerebro y el corazón, la sangre y los huesos. Mi coca se volvió dulce y algo bueno me pasará de todos modos. Me duermo, me duermo...

Un quienquién me despierta con su interrogación estridente, cuando el sol cae a plomo sobre el pequeño patio. El pájaro amarillo y negro está en la choza, picoteando entre una alforja colgada en la quincha.

—¡Chiá, dañino!

El ave huye entre los carrizos y echa a volar. Me levanto advirtiendo que ahora es como todos los días. Que ésta es mi casa y aquél es mi plantío, que éste es Calemar y aquél el río, como todos los días, como siempre han sido y serán. Mi pena se ha ido y hasta siento como que no existió jamás. Mi lengua goza de la misma tierna dulzura que ha estado allí toda la noche en ese bollo macerado que sabe el bien y el mal.

Salgo a echar una ojeada, como no lo hacía ya, a los cercos. Los pájaros están cantando alegremente. A este cerco habrá que reforzarlo. En la tarde, cuando el sol caiga, comenzaré a raumar. Las hojas se han agrandado y tupido a más y mejor y la cosecha será buena. ¡Vamos, cómo han crecido los plátanos en estos días!

De pronto, veo venir a la Florinda por el sendero que se contorsiona entre arbustos y herbazales al filo del cerco. Echo a andar hacia la choza y llegamos juntos. Sus manos juegan con las lucientes trenzas que le brincan sobre los senos.

—Dice mi taita que si tienusté ají...

—Sí, Flori, cómo no...

Me atisba mientras tiro al centro del cuarto el costal que se hallaba tumbado en un rincón. Sus ojos siguen atentamente mis movimientos y yo me demoro en soltar la fibra de pate que lo anuda. "No se ha enojado", pienso. "La coca está dulce desde anoche". La coca me alienta.

—Oye —digo paladeando la hoja sabia—, ¿te acuerdas toavía del Roge?

—Acau, pero ya murió...

El ají amarillea en la boca del costal.

—Ven, pué, recibe...

Ella hace milca con la extensa falda de percal, dejando ver las pantorrillas pulidas.

—Yo, de a verdá, te quiero mucho...

—Sia de mentir usté, don Lusha...

—¡Lusha!, ¿de ónde sacas eso?

Se entrega con los ojos y la sonrisa.

—Se me hace más bonito que decile Lucas..

—¡Ah, güeno: si me quisieras!

Suelta la falda y tiembla. Yo la he cogido por las caderas y la oprimo acezando. Su espinazo cruje.

Ahora nos perdemos en la profunda floresta de tendones y músculos ardidos, de dulzura y de queja, de estertor y agonía, donde raíces antiguas como el hombre se ahondan y arraigan nutriéndose de sangre.

Luego me contó —y yo la oí con el alma puesta en la hoja bendita— que esa noche había soñado conmigo y que estábamos junto al río.

Fue con el ají, y una tarde, después de hablar con don Pancho, volvimos juntos a mi choza. Así es como la Florinda ha llegado a ser mi mujer.

La coca me la dio.

XVIII

EL CORRIDO

Como el agua de río, no está quieto jamás. Pero él viene y va, y tan pronto sube el cañón como lo baja. ¿Hasta dónde? ¿Hasta cuándo? Nunca sabría responder. Camina sobre el azar y por eso ignora la distancia y el tiempo. Viaja inclusive cuando está inmóvil, pues si se detiene es solamente para rehacerse y preparar la partida.

Y es un cristiano como todos: como usted, como yo. Sólo que es un corrido. La justicia lo persigue y él dejaría primero escapar, gota a gota, toda su sangre, antes que dejarse atrapar y conducir a los pueblos, donde lo dejarían enmohecer como a un trasto inútil en el rincón de cualquier cárcel en tanto que, sobre una mesa, se amontonaría el papel sellado. Cuando el rimero de folios sería juzgado suficiente, él marcharía entonces a la capital del departamento y de allí a Lima, a esa mentada ciudad que nosotros conocemos por dos cosas: allí cambian los gobiernos y allí hay una inmensa cárcel. A ella se entra, pero muy pocas veces se sale. ¿Veinte o más años sin libertad no son acaso también la muerte? Así se cumpla la condena, el hombre quedará prisionero para siempre, pues tendrá los ojos tatuados de rejas encerrando a su alma, y macerada la carne, y rotos los nervios, y oxidados los huesos.

Entonces, pues, tiene razón el corrido de llevar una vida sin pausa. El cañón del río es su campo y su hogar. Él lo protege y alimenta. También lo consuela y fortifica. Esta abrupta extensión dura de rocas, rumorosa de río, fresca de árboles, ardida de sol, es ruda y tiempla al hombre invitándolo a ser fuerte, a la vez que lo acaricia con su atmósfera cálida.

Una noche se para un caballo frente a mi bohío y alguien desmonta y llama a la puerta.

—¡Hom, Cayetano!...

Mi taita es ya difunto y he aquí que hay un cristiano que todavía lo cree vivo y lo llama. ¿Quién será? Es una voz gruesa de entonación clara.

—¡Ña Meche!... —dice luego.

—Ya, cristiano —respondo levantándome.

Y me encuentro con un hombre al que no puedo reconocer ni por la silueta. Es más bien redrojo. Por otra parte, la sombra diluye los rasgos de su cara.

—¿Ta el Cayo o ña Meche?

—No, ellos murieron hace tiempo... Soy su hijo: el Lucas.

Pone una mano gruesa y pesada sobre mi hombro. Algo emocionado y cordial brota de esa mano.

—Te conocí caishita toavía... Toavía sin juicio... Aura yastás grande... ¿Me darás posadita?

—Cómo no...

—Güeno, entón voya soltar mi potro. ¿Toavía esel potrero po lao allá, ondera antes?

—Sí, ai es...

El hombre desensilla su caballo rápidamente y va a dejarlo. Entretanto la Florinda enciende candela para prepararle algo. Cuando vuelve, nos sentamos junto al fogón.

Es un rostro duro el suyo, como tallado en roca de unos cuantos golpes. La barba hirsuta y rala le cubre mal las quijadas de líneas firmes. En los ojos, tranquilos y de mirada fija, tiene una expresión de tristeza y energía. Sobre su frente se desgreña un cabello entrecano que asoma bajo un sombrero de junco oscuro y rotoso. Su oído debe estar siempre alerta, pues el ruido de un leño que la Florinda ha quebrado sobre la rodilla lo ha hecho voltear rápidamente. Al darse cuenta, una leve sonrisa ha asomado a sus labios prietos y ajustados. Después me dice:

—Sabes, muchacho, quiando corrido...

—¿Mucho tiempo?...

—Mucho, ya ni miacuerdo cuánto... Más e veinte...

—¿Años?

—Sí...

Luego saca un atado hecho con un pañuelo rojo y, al abrirlo, muchas balas de revólver muestran su plomo oscuro y su amarillo opaco.

—¿Tiene grasita? —le dice a la china.

Después revuelve las balas, una a una, en el bollo de grasa.

—Son mi defensa, dinó, ¿cómo? El pobres rispetao únicamente cuando puede matar...

Realiza su tarea prolijamente, pese al gran tamaño y rudeza de sus manos.

—¿Y poqués tanto tiempo quianda corrido?

—Es largo e contar... Yo soy diaquí, calemarino, anque quiensabe único los viejos sepan de yo... Lo primero jué enun pueblo, pa una fiesta. Yo juí pa vender mi coquita y velay quel día grande e fiesta miabía metido mis copas... Y poray taba dando güeltas en caballos e paso, una tropa e togaos... Uno taba pasiando enun caballo de vicio briyoso y sin niuna consideración pa los transiuntes, y velay que miatropella... Yo me paro diciéndole lo quera, yél senoja y me güelve a meter su bestia pisotiándome e nuevo... Entón me paro y ya no digo nada dinó que le doy tal corte que liabro la panza... Su mondongo cayó primero yél dispués... Resultó quera hacendao y las autoridás me persiguieron e tal modo que tuve que juirme... Me juí diaquí... Si biera sido dentre pobres, biéranse trasacordao y to biera quedao en nada, pero comuera un señorel muerto, velay que no se dieron sosiego... Y velay que pasó tiempos y yo taba juído cuando vino pa pescarme una comisión y yo questoy corriendo po una cuesta, pue miabían rodiao, yun cristiano que dizqué juel teniente me quiere pescar y ta pa apuntar cuando yo le doy más luegun tiro y lo dejo tirao ay... Desde esa vez, jué pa peyor... Aura vengo de Jecumbuy, pue mia parecido quiandan por mi rastro...

Ha terminado su tarea y devuelve la grasa restante.

—Nua faltao dispués que me quieran pescar... Nuey tenido suerte... Ya mey sosegao, yastoy cultivando mi campito, cuando velay que asoman pa pescarme yotra vez tengo quiandar diaquí pallá... Yenesos líos han muerto pue otros... Asies que biendo prescrito lo del hacendao, queda lo el teniente y losotros... Aura quianque no seya yo, mechan la culpa e muertes que no las hago... Cuando muere e repente cualesquier cristiano que lo maten poray, la polecía dice: "eses el Riero". Pa ellos no sé cuántos bré matao... Pacencia...

Se sirve la comida con buen deseo.

—¡Ah, cristianito!, güeno pal corrido esun matecito dialgo caliente. Días e días ta uno único con cancha... Tuve yo mi tiempo e comer chirimoyas nomá, puesas quebradas remontao.

—¿Y cuándo le prescriben toítos los juicios?

—Quién sabe, pué... Con la mortandá que mechan la culpa, no sé cuándo podrá ser... Dejuro tal vez nunca... Si dicen que soy un gran matadorazo, pero pa mi concencia ta que no maté dinó ondese hacendao, yal teniente ya dos polecías más que jueron pa pescarme, en defensa.

—Sí, el Riero es muy mentao...

—¿No ves?... Aura resulta que ni yo sé cuántos endividos hei matao...

Su boca tiene una amarga sonrisa.

—¿Yaura ónde se va?

—Puarriba..., pero más bien no lo digas... Hey andao mucho... Y toy enel río como güen vallino... Ya te dije que soy diaquí y tengo quiaclararte que con tu taita jui amigo e los güenos... Hastel puerto e Balsas conozco po lao abajo y po lao arriba, casi hastel mero Huánuco... Biera hallao mi sitio po un lao, pero nuestao con suerte... Dispués de toíto, este caño ta güeno pandar juído... Si vienen po un lao, me paso pal otro con caballo y to... O dinó tiro po los peñales... Güenues el río siempre...

Después de comer, el corrido tendió su cama en el corredor, con sus frazadas y las caronas de su bestia. Para permitirle descansar, cortamos la charla entrando al bohío. Al poco rato lo oímos dormir respirando profunda y lentamente.

Al amanecer, muy oscuro aún, nos llamó para despedirse.

—Güeno, muchacho —me dijo dura y cordialmente—; yo me llamo Inacio Ramos, y ya sabes que me dicen el "Riero". Más mejor es que no digas questao aquí porque no faltan deslenguaos... Ya no sirvo dinó pa dirme, dirme siempre y no parar... Sialguna vez andas corrido tamién, puede que te valga dialgo...

Y, ya desde el caballo recomendó:

—Si viene puacá un tal Ramón Jara, que le dicen "Peje", le das posadita... Yo le vía recomendar que venga puacá...

Y metió las espuelas a su potro, el que inició la carrera dando un salto. Era el amanecer, pero me pareció que para ese cristiano no llegaría el día. Que estaría siempre en la sombra, en una continuada noche de huida y zozobra... Pero, con todo, sería noche sin muros y sin hierros; noche con libertad, noche de estrellas.

XIX

"NO LE JUIMOS POQUE SEMOS HOMBRES"

Como ayer, como hoy y como mañana, el río brama contra el peñón que defiende a Calemar arriba, al comienzo del valle. El peñón resiste y nuestra tierra permanece. Pero los cholos somos de la corriente más que de la tierra, pues "no le juímos poque semos hombres y tenemos que vivir comues la vida".

Llegaron negociantes de ganado, esos cristianos que abundan cada vez más y se han arreado ya a la costa todas las reses de la banda del frente de manera que han pasado a la nuestra. Ningún rincón, aun el más escondido y fiero, escapará a la búsqueda. Ninguna res, aun la más endeble y enteca, se librará de la requisa. Don Policarpio Núñez y su hijo estuvieron aquí, wínchesters a la cabezada de la montura, de paso a Marcapata, a la comunidad de Bambamarca, a Shomenate, a El Olivo, a Ciónera. Iban a juntar todo el ganado de por allí.

—Don Juan Plaza les vende —apuntó el viejo Matías.

—Y los inditos tamién —replicó don Policarpio haciendo sonar los soles en el bolsillo del chaleco. Ese don Policarpio tenía plata y seguramente la alforja estaba llena de cheques. Pasando un ojal del chaleco, brillaba a todo lo ancho de su vientre una gruesa cadena de oro. Los wínchesters respondían por todo; aunque don Policarpio debía usar su carabina en cosas que no tenían que ver nada con su propia defensa.

—Lo pasarán ustedes el ganadito, pué —siguió diciendo el negociante, mirándonos a todos con sus ojitos zamarros y sonriendo zalameramente con sus gruesas jetas y sus soplones carrillos trigueños.

—Dejuro, sí lo pasamos...

Pero la balsa que trajo el Arturo no bastaba y fuimos por otra. En la Escalera, con el agua baja hasta dejar ver un erizamiento de picos filudos, nos acordamos del pobre Roge y jalamos las palas con rabia. El Arturo ajustaba las quijadas abultando la piel cetrina sobre tendones encrespados. Su cara era como el pongo mismo, torva y furiosa. Llegamos a mediodía, pues salimos temprano, de modo que el sol alumbraba bien el paso. Había que vencer. La Escalera no debía jugarse con nosotros, balserazos de ley. El río dio vértigo a sus rápidos y chorreras poniéndonos sus rocas como un puñal al pecho, pero nuestros ojos vieron claramente sus lomos practicables y nuestros brazos fueron como nunca fuertes para blandir las palas en el agua voraz. Éramos solamente brazos y ojos. Ni oíamos siquiera el gran clamor del pongo y fue sólo al voltear el recodo, cuando la balsa iba ya sobre aguas aplacadas, que lo sentimos a nuestras espaldas mascullando interjecciones. Nos amenazaba para la próxima vez, que acaso sería la última. "Cuantas veces quieras", respondían a un tiempo, jubilosos, nuestros corazones retumbantes.

Nos pusimos de acuerdo con el viejo Matías sobre la llegada y él nos había esperado tres horas a la orilla. Al vernos tembló de alegría y nos recibió riendo con toda la cara.

—Güena, homs... ya, ya... El río nues pa meter miedua los varones... Güena, homs, güena...

Y en la noche la reunión fue como nunca emocionada y discurrió en medio de un calor que no era de valle sino de entrañas.

Estábamos ante un mantel lleno de coca, haciendo rueda, don Matías y su hijo, el Silverio y el Encarna, los compañeros de balsa Jacinto y Santos y algunos cholos más que vinieron a celebrar el feliz arribo.

Un poro del "juerte" recorría lentamente el círculo de una mano a otra, y un fogón nos coloreaba los rostros en medio de una noche lóbrega.

El cañazo nos hizo pronto arder la sangre y entonces fue el reír de las peripecias del viaje y las nuevas donosas de Shicún, pero después la coca nos llegó al corazón como para que sintiera, una vez más, la tristeza que dormita en lo hondo de nuestra vida, pronta a despertar y mostrarse.

Sólo el rumor del río y el canto de los tucos nos conectaba a la naturaleza. Por lo demás, hubiérase creído a primera vista que ese grupo de hombres vivía a favor de un retazo de luz, entre un apretado y tétrico mundo de sombras.

El Arturo contó que en Shicún, un cholito que acostumbraba poner nasas en un brazo del río, fue una tarde a revisarlas y no volvió más. Sus parientes lo buscaron varios días río abajo. En las playas anchas donde varan los cadáveres, nada hallaron. Por otra parte, no sabían fijamente si se había ahogado o no, pero de su muerte no dudaba nadie.

—Talvez se juyó pa otro sitio —apuntó un cholo.

—No, si dejó to sus cosas... ay taban. Y dijo como siempre que luego regresaba y no luizo... Se jué hasta sin poncho... Dejuro que murió.

El viejo Matías habló entonces, pausadamente, como tomándoles sabor y peso a sus palabras.

—¡Ah, río tan variao! No diremos que deja e ser güeno, pero la bondá pura nues deste mundo... Y velay que nos tiene puacá pa hacer su gusto... Bien dijo don Oshva, anquel miraba diotra laya la cosa, peruéste río es mesmo una serpiente dioro... Güenostá: serpiente dioro es.

El viejo callóse y de sus oyentes nadie dijo una palabra. Quizá sintió que no llegábamos al fondo de su pensamiento, y explicó:

—Catay quiuno vive aquí e güen modo. Nada falta y to es puel río. Este valle, dél es, lagua que balsia-

mos es dél. Yél nunca deja e correr y los cristianos tienen po contra único al riesgo..., pero cuando menos
piensa, ya los mató su río lindo dentre su valle lindo,
ya los mató e repente mesmo una serpiente dioro.

—Muy verdá, don Matish...

—Muy verdá...

El viejo siguió hablando. Sus ojillos brillaban intensamente, bajo el ala agachada de su sombrero. A pesar de que los fijaba en nosotros, no parecía advertir-
nos. Su mirada iba más lejos.

—Me contun señor quen tiempos antiguos los peruanos adoraban comua meros dioses al río tamién y tamién a la serpiente. Y yo digo que talvez jué porque
la iferiencia es poca yal no saber cuál era más ni menos, velay que pa los dos tuvieron adoración...

Nos zampamos coca silenciosamente. Ni golpeábamos
los checos a fin de no hacer ruido.

—Güeno, ¿idiay? —prosiguió el viejo—, aquí corre pa
siempre nuestro río, yaveces blasfemamos contra dél,
peruél parece que más bien se carcajiara...; pero ay
ta que no le juímos: semos hombres, ya la vida hay
que vivila comues, y pa nosotros la vida esel río... A
pelialo, pué... Y que nunca nos pesque fiero mal ques
el desaliento... ¿Saben cómo jué quel Diablo echó los
males?

—Yo sí —dijo el Arturo— pero los otros talvez no...

—Cuente, cuente, don Matish —pidieron varias voces.

Y el viejo repuso:

—Entón voya contales y no lolviden po ques cosa
quiun cristiano debe tenela presente...

Y relató la historia que nosotros no olvidaremos jamás y que diremos a nuestros hijos con el encargo de
que la repitan a los suyos, y así continúe transmitién-
dose, y nunca se pierda.

—Yera po un tiempo quel Diablo salió pa vender
males po la tierra. El hombre ya bía pecao y taba condenao, pero nuabía variedá e males yentón el Diablo,
costal enel hombro, iba po to los caminos e la tierra
vendiendo los males questaban enel costal empaque-
taos, pue los bía hecho polvo. Yabía polvos e to los co-

lores queran to los males: ay taban la miseria y lenfermedá, y·lavaricia yel odio, y la opulencia que tamién es mal y lambicia, ques mal tamién cuando nues debida, y velay que nuabía mal que faltara... Y dentresos paquetes bía uno chiquito y con polvito blanco quera puel desaliento...

Yasies que la gente iba pa comprale y toítos compraban enfermedá, miseria yavaricia y los que pensaban más compraban opulencia y tamién ambicia... Y to era pa hacerse mal dentre cristianos... Yel Diablo les vendía cobrándoles güen precio, yal paquetito con polvito blanco lo reparaban y naides liacía caso... "¿Qués pueso?", preguntaban po mera curiosidá. Yel Diablo respondía: "el desaliento", yellos decían: "ése nues gran mal" y no lo compraban. Yel Diablo senojaba, pue la gente le parecía demasiao cerrada pa la idea. Y cuando e casualidá o po mero capricho alguno lo quería comprar, preguntaba: "¿Cuánto?", yel Diablo respondía: "Tanto". Yera pue un precio muy caro, más precio quel de toítos, y velay que la gente se reía diciendo que puese paquetito tan chico y que nuera tan gran mal nostaba güeno que cobrara tanto, insultándolo tamién al Diablo quera muy Diablo po querelos engañar toavía... Yel Diablo tenía cólera y tamién se reía viendo como no pensaba la gente...

Yasies que vendió to los males y naides le quiso comprarel paquetito po quera chiquito yel desaliento nuera gran mal. Yel Diablo decía: "Conéste, todos; sinéste, niuno". Y la gente más se reía pensando quel Diablo siabía güelto zonzo. Y velay que sólo quedó puel paquetito y no daban poél niun cobre... Entón el Diablo con más cólera toavía y riéndose con mera risa e Diablo, dijo: "Éstes la mía", yechó pal viento tuel polvo pa que vaya po tuel mundo...

Yentón to los males jueron poquese mal es toítos. Sólo pue hay que reparar nomá pa darse cuenta... Sies afortunao y poderoso y cae desalentao pa la vida, nada le vale yel vicio luempuña... Sies humilde y pobre, entón el desaliento lo pierde más luego toavía...

Asies comuel Diablo hizo mal a to la tierra, pue sinel desaliento niun mal podía pescalo a niun hombre...

Yaitá enel mundo, yonde algunos más, onde otros menos siempre les llega y naides puede ser güeno e verdá, pue no puede resistir comues debío la lucha juerte e lalma yel cuerpo ques la vida...

Cristianos e Calemar: quel desaliento nuempuñe nunca to nuestro corazón...

Y una tarde la bajada se llenó de gritos y colores.

Don Policarpio Núñez y su hijo, con tres indios repunteros que habían contratado, bajaban arreando una punta de cien reses ariscas. El ganado abandonaba el camino buscando refugio en los chamizales, los cactos y el monte de la quebrada con la intención de esquivarse al arreo y volver luego a la querencia, pero los repunteros lo seguían hasta sus escondrijos o, desde las lomas y las rocas, dibujando en el aire oscuros círculos con las hondas, le disparaban piedras que lo hacían doblegarse y volver al camino nuevamente, aunque ya con los costillares tumefactos.

Entrando al callejón, picaron para tratar de que esas pobres vaquitas de altura pasaran el río a nado. Don Policarpio y su hijo las chicoteaban desde sus caballos y los repunteros tiraban piedras a las delanteras haciendo estallar sonoramente la cabuya de las hondas. Hay que tratar de que no tomen agua, pues si las vacas llegan al río y la beben es seguro que ya no pasarán.

El ganado tomó el galope apretándose hasta formar una mancha variopinta entre la polvareda.

La que iba adelante, desprevenida y empujada por las otras, no pudo hacer otra cosa que tirarse al río y unas veinte la siguieron. Animales que nunca supieron lo que es un río braceaban como el difunto Roge.

Las otras se quedaron hundiendo ávidamente los hocicos en la corriente, entre una lluvia de chicotazos, pedradas y gritos. La resistían a pie firme, bebe y bebe, o saltando entre las piedras para esquivar los rebencazos que les partían las ancas, sin renunciar por eso a dar un sorbo aquí y allá.

De las que nadaban, sólo se distinguía la cabeza y los cuernos a modo de paréntesis sobre la ondulada superficie del río. La mancha se fue angostando hasta hacerse una fila, a la que contemplábamos los vallinos que fuimos a curiosear y los dueños y los repunteros, que ya no insistían en ajochar a las rezagadas.

Se veía que la pobre vacada luchaba desesperadamente. Junto a sus cuerpos asomaba una blanca espuma que se fue expandiendo hacia abajo. A una el río comenzó a arrastrarla. Iba más lenta, más sin fuerzas, haciendo sobresalir el hocico apenas. Parecía, a ratos, que el río la iba a tragar ya. Separóse de la fila. El río vencía...

Don Policarpio se iba encolerizando con el pobre animal y su cara abotagada tomaba un color morado.

—¡Vaca muerma! —blasfemaba el cristiano—, ¿paqué se aventó si no podía? —Y a su hijo—: Ya te dije que no valía ni veinte soles ese adefesio...

La vacada continuaba desesperándose. Los cuernos se veían más delgados, y su esfuerzo se notaba menos, pero lo suponíamos mayor con el cansancio. Al fin la que iba adelante tocó la orilla y resbaló muchas veces antes de subir. Ya arriba, se sacudió entera y volteó hacia las que nadaban, mugiendo larga y angustiadamente...

Al oírla, las que estaban por salir o todavía lejos se apuraron. Inclusive la que perdía fuerzas y estaba muy atrás y hacia abajo, cobró ímpetu y nadaba haciendo sobresalir la cabeza en un esfuerzo supremo por no rendirse, pero luego aflojó y el río la hacía cada vez más suya, la corriente se ensañaba con su debilidad y su abatimiento.

Las vacas de este lado comenzaron a mugir y a poco todas las que salieron al frente lo hicieron también, mirando a la que se perdía, en un coro doloroso y salvaje que fue prolongado hasta el infinito por las peñas.

Entonces don Policarpio —¡quién lo hubiera creído!— se baja de su bestia y echa rodilla en tierra haciendo sonar el cierre de su wínchester. Cuatro tiros, uno tras otro, le disparó a la pobre res. En el cañón retumbaron tristemente y el mugido de las vacas parecía una queja de la naturaleza. El río corría imperturbable, haciendo tumbos, parlando en la voz baja que usa en verano.

La vaca débil desapareció en la lejanía...

Don Policarpio apuntó:

—¡Diablo!, esto sí ques echar plata a lagua...

Y dio orden a los repunteros de cuidar bien a las de esta orilla que las del frente, rendidas, no tendrían ganas de alejarse mucho.

Toda la noche, entre los carrizales de la playa, hubo mugidos, gritos y retumbar de hondas. Las vacas pretendían volverse. Se enfurecían y peleaban de modo que la mañana las encontró acezando y con los ijares ensangrentados. Los murciélagos, por su parte, habían abierto brecha en los lomos y dos franjas rojas descendían a un lado y otro de los cuernos chupados. Sus miradas tristes y acuosas se estrellaban contra las peñas abruptas y apenas lograban distinguir el caminejo blancuzco, quebrado, misérrimo, que sube dando saltos a su bienamada meseta puneña. Contemplaban también el río, con un recogimiento lleno de pavor.

Entrando el día comenzamos a pasarlas.

Nos dividimos en una cuadrilla para cada balsa y otra, que era ayudada por los repunteros y los dueños, para enlazarlas y soltarlas. Reses matreras, no desmintiendo su crianza en la puna o en esos tupidos montales de Ciónera, daban quehacer en grande. Había que lacearlas desde lejos y muchas veces, pues se defendían bajando las astas apenas se les tiraba las cuerdas.

Llegaban a la orilla a arrastrones y ya en el agua, después de un empujón que las hacía caer en ella, nos era fácil manejarlas. Pierden el peso y el remolque es cuestión de juego. Algunas no querían nadar, tirándose de costado, pero, entonces, las acercábamos hasta cogerles los cuernos y hundirles los hocicos en el agua, con lo que en seguida braceaban y salían nadando, muchas veces hasta ayudando el avance de la balsa.

El asunto era desenlazarlas. Los cholos del otro lado las conducían hasta un árbol y, parapetados tras él, extendían lentamente la mano hacia el anillo del lazo, pero las vacas movían bruscamente los cuernos o saltaban hacia atrás al sentir el menor roce o bien, dando vuelta rápidamente, se les iban encima. Una de ellas logró cornear al Encarna en el pecho y lo hubiera muerto si él no la tiende de una pedrada en la frente. Ahí estuvo mucho rato pataleando. Cuando se levantó, hecha una zonza, meneaba la cabeza y andaba trenzándose.

Al Encarna lo pasamos a este lado y lo reemplazó el Pablo. El cholo malherido fue tiñendo con su sangre la balsa y el camino de su chocita. ¡Ojalá don Policarpio les hubiera metido bala a todas!

Pero siempre dan pena los animalitos. Uno, que también tiene su querencia, se figura lo que será dejarla al otro lado de un río que a menudo quita la esperanza. Las pobres vacas, que primero se resisten a que el lazo aprisione sus cuernos y después a que los libre, pierden en seguida toda su bravura. Están por allí, mirando tristemente el camino por el que han de continuar la marcha mientras toman sombra al pie de los pates y ramonean cualquier chamiza, a la vez que su cola chicotea los mosquitos enrojecidos en las ubres. Parece que sienten que la lucha con el hombre es inútil y más inútil aún la lucha con el río. Esa faja encrespada y rugiente, cuyo fondo no alcanzan los miembros angustiados, tiende entre ellas y la querencia una desolación sin orillas.

Dos días estuvimos en el trajín. Don Policarpio nos pagó los cincuenta soles convenidos y nos volvimos, mientras él siguió, con su hijo y los repunteros, cuesta arriba, arreando un largo y ya ordenado cordón negro, colorado, blanco, amarillo...

No faltan reses que pasar y, en todo caso, cristianos: dueños de las haciendas de estos lados, comerciantes celendinos, indios comuneros o colonos. El hecho es que siempre tenemos las palas en las manos y las balsas bajo las rodillas, sobre los tumbos que el Marañón levanta inacabablemente.

Han pasado ya cinco inviernos. ¿Contar? Bueno: contar... Pero el que hace y no cuenta es nuestro Marañón. Dicen que, cincuenta leguas más arriba, el río mordió la ladera fronteriza a un valle para derrumbarla, empozarse frente al derrumbe, cambiar de curso y llevarse el valle entero. Así sería, porque pasaron plantas de coca entre las palizadas y un muerto ya desnudo, pues la corriente quita la ropa a los cristianos. Las aguas estaban más lodosas que nunca, prietas, del color de la noche. Más muertos no vimos. Lo que sí sabemos es que el Chusgón, un afluente que desemboca tres leguas más abajo de nuestra tierra, se llevó casi todo el valle de Shimbuy, metiendo al río los plantíos de coca. ¿Qué no hará el Marañón?

Han pasado ya cinco inviernos y pasarán muchos más. Moriremos sin recordar, acaso, cuántos fueron. Junto al río la vida es como él: siempre la misma y siempre distinta. Y entre un ritmo de creciente y vaciante, los balseros estamos tercamente sobre las aguas, apuntalando las regiones que separan, anudando la vida.

Don Matías está ya muy anciano y se ve que pronto morirá, lo mismo que los otros balseros y veteranos: el viejo Cunshe, don Crisanto, el propio Encarna que ya se dobla como cuando uno se cansa con la pala en las manos. Los años son un remolino lento que se ahonda en la tierra sorbiendo a los cristianos.

Pero aquí estamos nosotros y cuando llegue nuestra hora postrera —en tierra o agua, da lo mismo— ahí están el Adán y todos los cholitos que ya empuñan pala, a fin de continuar la tarea. No faltarán balseros: la Lucinda y la Florinda, y todas las chinas del valle, tienen siempre tamaños vientres por nuestra causa. La Hormecinda cuida un hijito rubio que no puede llamar al taita, pero a quien llaman ya las balsas.

Además del Roge y don Osvaldo, han muerto muchos. Durante la fiesta, entre copa y copa y danza y danza, se reza por ellos. Después, se acabó.. Nadie va a estar recordando y llorando todo el tiempo a un difunto. En la lucha con el río, la vida es el peligro y la muerte nos duele en la medida justa. No en balde resuena en nuestras bocas el antiguo cantar:

> Río Marañón, déjame pasar:
> eres duro y fuerte,
> no tienes perdón.
> Río Marañón, tengo que pasar:
> tú tienes tus aguas,
> yo mi corazón.

Y el río nos oye y rezonga como siempre, calmo en verano y bravo y omnipotente en invierno. Entonces una balsa es nuestro mismo corazón lleno de coraje. Si morimos, ¿qué más da? Hemos nacido aquí y sentimos en nuestras venas el violento y magnífico impulso de la tierra. En la floresta canta el viento un himno a la existencia ubérrima. El río ruge contra nuestro afirmativo destino. Los platanares hacen pendular apretados racimos, los paltos y las lúcumas hinchan frutos como senos, los naranjos ruedan por el suelo esferas de oro y la coca es amarga y dulce como nuestra historia.

Los peñascales —hitos de la tierra— trepan hasta el cielo para señalar a los hombres estos valles, en donde la vida es realmente tal.

VOCABULARIO

Acau. — Interjección que expresa lástima.
Amadrinada. — Que va con *madrina*: ganado que sirve de guía.
Andar corrido. — Perseguido por la justicia.
Andara. — Antara.
Antara. — Flauta de Pan.
Ardilosa. — Enredadora, donairosa.
Array. — Interjección que expresa miedo.
Avellana. — Cohete.

Balsada. — Precio de un viaje en balsa.
Balsear. — Bogar en balsa. Hacer pasar en ella.
Barbacoa. — Tarima de cañas.
Bola. — Bollo de coca.
Buitrón. — Lugar plano y soleado para secar la coca.

Cabuya. — Fibra de penca.
Caisha. — Débil o muy joven.
Cajero. — Que toca la *caja*: bombo.
Callana. — Recipiente de barro, trozo de olla.
Cancha. — Maíz tostado.
Cañazo. — Aguardiente de caña.
Cashua. — Baile indígena.
Castillo. — Armazón alta de fuegos artificiales.
Corazonada. — Presentimiento.
Cristiano. — Persona civilizada.
Cundería. — Viveza. Resabio.
Cushal. — Sopa.

Cuy. — Conejillo de Indias.
Cuye. — Cuy.

Chacchar. — Masticar coca.
Checo. — Calabazo. (Nombre dado especialmente al usado para guardar cal).
China. — Mujer.
Chiquita. — Variación de la cashua.
Chirapa. — Garúa. Lluvia con sol.
Cholada. — Conjunto de cholos.
Cholo. — Mestizo. Indio civilizado.

Despejar. — Entrar en razón.

Echar el guante. — Atrapar.

Galga. — Pedrón que rueda.
Guacho. — Huérfano.
Guando (en). — Sostenido en alto.
Guapear. — Envalentonarse.
Guapi. — Interjección contra las aves de rapiña.
Guarapo. — Licor de jugo de caña fermentado.
Guazamaco. — Holgazán, paniaguado.

Huachano. — Zamaqueado.
Huaino. — Danza indígena.

Ichu. — Pasto muy duro propio de la puna.
Indiada. — Conjunto de indios.

Jalca. — Puna.
Jarana. — Parranda.
Juerte. — Fuerte. Dícese del cañazo.

Laja. — Roca plana y resbaladiza.
Lapa. — Mitad de un calabazo grande y achatado.

Machorra. — Hembra estéril.
Mama. — Madre.
Mate. — Mitad de un calabazo pequeño y achatado.
Mero. — Mismo, propio.

Milca. — Depósito for~ ~do al remangar la falda.
Moro. — Sin bautizo.

Número. — Ayudante de una autoridad.

Oroya. — Sistema de cuerdas para cruzar un río.

Pacapaca. — Especie de lechuza, más pequeña.
Pala. — Remo ancho y corto.
Palear. — Bogar con pala.
Pallas. — Danzantes que figuran en las ferias.
Pata de perro. — Andariego, trotamundos.
Picar. — Apurar el paso.
Pirca. — Pared de piedra.
Piruro. — Rodaja para hacer girar el huso.
Pongo. — Angostura por la que pasa un río. Sirviente indio gratuito.
Poro. — Calabazo que se usa para guardar líquidos.
Poto. — Calabazo cercenado circularmente que se usa para beber.
Pugo. — Paloma silvestre de gran tamaño.
Punta. — Grupo de animales.
Punta (a). — A fuerza.
Puntear. — Danzar con paso menudo.
Purpuro. — Fruta silvestre.

Quengo. — Curva, zigzag.
Quipe. — Envoltorio que se lleva a cuestas.
Quiño. — Golpe fuerte.

Raumar. — Acto de deshojar las plantas de coca.
Redrojo. — Pequeño y grueso.
Reparar. — Mirar.
Repuntero. — Que hace el *repunte:* rodeo.
Rocoto. — Ají redondo y rojo.

Shilico. — Natural de la provincia de Celendín.

Tamaño. — Abultado, grande.
Taita. — Padre.

Templino. — Propio del *temple*: región cálida.
Tuco. — Búho.

Velay. — Toma, helo aquí.

NOTA. — Casi todos los americanismos usados en este libro
figuran en los diccionarios más comunes. El autor
—amén de los no conocidos— anota los que en la
zona del Marañón tienen significado distinto que el
reconocido, y los que están incluidos en obras de
difícil consulta.

ÍNDICE

BIBLIOTECA CLÁSICA Y CONTEMPORÁNEA
Volúmenes publicados

BIBLIOTECA CLÁSICA Y CONTEMPORÁNEA
Volúmenes publicados

BIBLIOTECA CLÁSICA Y CONTEMPORÁNEA
Volúmenes publicados

BIBLIOTECA CLÁSICA Y CONTEMPORÁNEA
Volúmenes publicados

BIBLIOTECA CLÁSICA Y CONTEMPORÁNEA
Volúmenes publicados

BIBLIOTECA CLÁSICA Y CONTEMPORÁNEA
Volúmenes publicados

BIBLIOTECA CLÁSICA Y CONTEMPORÁNEA
Volúmenes publicados

BIBLIOTECA CLÁSICA Y CONTEMPORÁNEA
Volúmenes publicados